D0975404

Dans la même collection
L'Être et l'Esprit

L'ART INTÉRIEUR
DU
TRAVAIL

Titre original : SKILLFUL MEANS, Gentle Ways
to Successful Work

© Éditions Dervy, 1993-1996-
ISBN 2-85076-537-6

ISBN 2-84454-068-6
Paris, 2000

TARTHANG TULKOU

L'ART INTÉRIEUR DU TRAVAIL

COMMENT FAIRE DE SON TRAVAIL
UN ART DE VIVRE
ET UN MOYEN D'ÉPANOUISSEMENT

Traduit de l'américain par
Sylvie Carteron

ÉDITIONS DERVY
17, rue Campagne Première
75014 PARIS

Ce livre est dédié
à tous ceux qui travaillent
dans le Pays de l'Opportunité

Nous avons la responsabilité de travailler, d'exercer nos talents et nos aptitudes, d'apporter à la vie la contribution de notre énergie. Notre nature est créatrice ; en l'exprimant, nous engendrons constamment plus d'enthousiasme et de créativité, stimulant un processus continu de bien-être joyeux dans le monde autour de nous. Travailler avec bonne volonté, avec notre plénitude d'énergie et d'enthousiasme, est notre manière de contribuer à la vie. Travailler ainsi, c'est travailler avec des moyens habiles.

PRÉFACE

Pour bien des personnes aujourd'hui, le travail perd sa signification. Cette insatisfaction n'est pas limitée à certaines professions, certaines origines personnelles ou certaines croyances, elle imprègne subtilement chaque aspect du travail. Ceci est regrettable, car le travail est un moyen très efficace pour apprendre à découvrir une profonde satisfaction dans la vie. Le travail peut être une source de croissance, une occasion d'en apprendre davantage sur nous-mêmes et de développer des relations positives et saines. Si nous le considérons ainsi, nous voyons qu'il n'y a en fait pas de différence entre consacrer de l'énergie et du soin à notre travail et consacrer de l'énergie à améliorer notre conscience* et notre appréciation de la vie.

Cependant, il n'est pas toujours facile de trouver comment faire du travail un chemin menant à une vie agréable. En travaillant avec mes élèves, j'ai essayé de les encourager quotidiennement afin qu'ils puissent découvrir plus facilement en eux-mêmes les moyens d'atteindre par leur travail satisfaction et accomplisse-

---

* Le terme « conscience », en anglais « awareness », a dans tout ce livre le sens de « être conscient », « clarté de perception et de connaissance », et non celui de « conscience morale ». (NdT).

ment. Ce ne sont pas des enseignements au sens traditionnel du terme, mais des suggestions destinées à les guider dans leur travail et leur développement intérieur. Ce livre est issu de notes prises lors de discussions quotidiennes et forme simplement une extension de nombreuses conversations familières. L'Art intérieur du travail concerne des situations typiques rencontrées dans le travail et la vie de tous les jours, des modes répétitifs de pensée et d'action qui nous empêchent souvent d'atteindre nos buts et de trouver un vrai sens à la vie.

Changer ces processus répétitifs formés tôt dans la vie est l'une des leçons les plus difficiles à apprendre, ainsi qu'à enseigner. Nous croyons souvent que les habitudes que nous avons suivies toute notre vie ne peuvent être modifiées, et nous nous sentons donc limités de diverses façons. Pourtant, il n'y a réellement aucune limite à ce que nous pouvons accomplir, si nous apprécions vraiment toutes les occasions que nous donne la vie. Nous pouvons détruire les limites que nous nous sommes imposées à nous-mêmes, effectuer des changements prodigieux, et découvrir des capacités nouvelles dont nous ignorions l'existence en nous. Ceci est très important : nous pouvons devenir conscients de nos véritables capacités.

Utiliser le travail comme moyen de croître intérieurement et de se développer a suscité une profonde différence dans la vie de mes élèves, et dans la mienne aussi. Je me suis engagé à travailler, et à partager avec les autres ce que j'ai appris ; ceci est ma responsabilité et ma contribution à la vie. Le travail a été pour moi une riche éducation ; je suis très reconnaissant pour les nombreuses chances qui m'ont été données d'apprendre et de partager.

Au cours des vingt dernières années, j'ai eu l'occasion d'observer différents modes de travail et styles de vie en Orient comme en Occident. Après avoir quitté le Tibet en 1959, j'ai d'abord enseigné et travaillé pendant dix ans en Inde avant de venir aux États-Unis. Enfin, ces dix dernières années, j'ai travaillé intensément chaque jour avec des Américains d'origines et de professions très diverses, dans des domaines comprenant la direction commerciale, l'éducation, l'administration, l'orientation psychologique, la construction, la production littéraire et les arts graphiques.

Bien que j'enseigne, je suis, de cœur, un étudiant de la vie et de la nature humaine. Mes origines et ma formation ne m'ont pas directement préparé à vivre dans une culture occidentale, et j'ai trouvé un intérêt profond à apprendre le plus possible à travers l'expérience pratique du travail en Occident. Souvent, voir une culture avec un œil étranger peut donner une perspective neuve sur des situations et des attitudes habituellement tenues pour chose établie. J'ai vu et ressenti l'insatisfaction dont beaucoup de personnes font l'expérience dans leur travail. Cependant, et même si le mien n'a pas toujours été facile, je l'ai trouvé stimulant et récompensant. Mes expériences m'ont enseigné la joie de travailler en donnant toute sa mesure, et m'ont montré comment travailler ainsi peut être bénéfique pour les autres.

L'Art intérieur du travail a été fait pour partager avec vous ces expériences, afin que peut-être elles vous aident à trouver plus de satisfaction dans le travail et dans la vie. Chaque personne est unique, et chaque situation de la vie est distincte, aussi chacun peut trouver individuellement ici des éléments de valeur qui stimulent et donnent un moyen d'identifier les difficultés, de les surmonter, d'avancer sur le chemin de la croissance et de la satisfaction.

Quand nous employons les moyens habiles, nous abordons directement notre travail, nous agissons immédiatement pour résoudre nos problèmes, et nous dévoilons la force de nos capacités naturelles. Chacun de nous a ce potentiel ; si nous le réalisons, nous pouvons alors partager avec les autres notre compréhension intérieure *et notre appréciation. Finalement, il se peut que nous soyons capables d'apporter une source de bienfait et de plaisir à toute l'humanité, afin que tous apprennent à mener des vies satisfaisantes.*

D'autres personnes aimeront peut-être développer ces idées, les rendre plus appropriées à leur processus individuel de travail et de croissance intérieure. Peu importe qui propose ces idées ; l'important est la valeur issue de leur mise en pratique, dans le travail et dans toute la vie.

Nous sommes dans des temps difficiles pour vivre, pour essayer de comprendre les choses, et beaucoup cherchent un moyen de rendre leur travail et leur vie plus satisfaisants, plus riches de sens. Voici, pour le moment, quelques réflexions accumulées au cours des dernières années ; je voudrais les partager avec vous.

Je souhaite exprimer à mes élèves et aux collègues de travail de Dharma Publishing ma profonde appréciation pour leur aide dans la préparation et la publication de ce livre. Leur généreuse contribution en temps et en énergie s'est révélée inestimable dans la production de L'Art intérieur du travail.

Tarthang Tulkou
Octobre 1978

INTRODUCTION

Chaque être de l'univers exprime sa véritable nature dans le cours de son existence. Travailler est la réponse humaine et naturelle au fait de vivre, notre manière de participer à l'univers. Le travail nous permet d'utiliser pleinement notre potentiel, de nous ouvrir à la gamme infinie d'expériences intérieures qui réside en l'activité même la plus terrestre. A travers le travail, nous pouvons apprendre à employer notre énergie afin que tous nos actes soient fructueux et riches.

Satisfaction et accomplissement font partie de notre nature humaine. Le travail nous donne l'occasion de réaliser cette satisfaction en développant les vraies qualités de notre nature. Le travail est l'expression habile de notre être total, il est notre moyen de créer l'harmonie et l'équilibre en nous-mêmes et dans le monde. A travers le travail, nous apportons à la vie la contribution de notre énergie, investissant notre corps, notre souffle et notre esprit dans l'activité créatrice. En exerçant notre créativité, nous remplissons notre rôle naturel dans la vie, et nous inspirons tous les êtres par la joie d'une participation pleine de vitalité.

Chacun de nous sent le rôle que le travail joue dans notre vie. Nous savons qu'il peut faire appel à chaque partie de notre être, mettant pleinement en œuvre notre esprit, notre cœur et nos sens. Pourtant, il est inhabituel, à l'époque actuelle, de s'impliquer aussi profondément dans son travail. Dans la société complexe d'aujourd'hui, nous avons perdu le contact avec la connaissance des moyens d'utiliser nos capacités pour mener une vie efficace et sensée. Dans le passé, l'éducation jouait un rôle important en communiquant la connaissance nécessaire pour intégrer l'étude et l'expérience, pour manifester notre nature intérieure de façon pratique. Aujourd'hui, cette connaissance vitale n'est plus transmise. Ainsi notre compréhension générale du travail est limitée, et nous réalisons peu souvent la profonde satisfaction qui naît de travailler avec habileté, de tout notre être.

Peut-être mettons-nous rarement notre cœur et notre esprit entièrement dans notre travail parce que nous n'avons pas à déployer un effort complet pour répondre à nos besoins essentiels ; en fait, travailler juste assez pour s'en tirer est devenu la norme. La plupart des personnes ne s'attendent pas à aimer leur travail, et encore moins à bien le faire, car le travail est communément considéré comme un moyen de parvenir à un but, et rien de plus. Quelle que soit notre occupation, nous en sommes venus à le regarder comme une partie trop absorbante de notre vie, une tâche inévitable.

Si une stimulation est assez forte pour nous faire travailler durement, nous le ferons peut-être, mais si nous examinons rigoureusement notre motivation, nous voyons qu'elle est souvent d'une envergure étroite, dirigée principalement vers l'acquisition d'une position sociale, l'augmentation du pouvoir personnel et l'amélioration du domaine privé, la protection des intérêts du nom et de la famille. Cette sorte de motivation égocentrique rend difficile l'expression et le développement de notre potentiel humain à travers le travail. Au lieu de nous établir fermement dans les qualités positives de notre nature, l'environnement du travail favorise des traits tels que l'esprit de concurrence et la manipulation.

Certains, en réaction à cette situation, peuvent choisir d'éviter complètement le travail. Quand nous adoptons cette perspective, nous pouvons croire que nous poursuivons un bien plus élevé. Mais plutôt que de trouver une alternative saine capable d'augmenter notre jouissance de la vie, en fait nous limitons encore davantage notre potentiel. Car vivre sans travailler nous fait nous retirer de la vie elle-même. En refusant l'expression de notre énergie dans le travail, nous nous frustrons sans le savoir de l'occasion de réaliser notre nature, et nous refusons aux autres la contribution unique que nous pourrions faire à la société.

La vie fait payer un prix pour ce qui n'est pas une pleine participation. Nous perdons contact avec les valeurs et qualités humaines qui jaillissent naturellement d'un plein engagement avec le travail et la vie : intégrité, honnêteté, loyauté, responsabilité et coopération. Si nous ne sommes pas guidés dans notre vie par ces qualités, nous commençons à dériver, en proie à une sensation de malaise et d'insatisfaction. Une fois que nous avons perdu la connaissance qui montre comment nous établir fermement dans un travail riche de sens, nous ne savons pas où nous tourner pour trouver de la valeur à la vie.

Il est important pour nous de voir que notre survie au sens large dépend de notre bonne volonté à travailler avec toute la force de notre esprit et de notre cœur, à participer pleinement à la vie. C'est seulement ainsi que nous réaliserons les valeurs et qualités humaines qui apportent l'équilibre et l'harmonie dans notre vie, dans notre société et dans le monde. Nous ne pouvons continuer à ignorer les effets de la motivation égoïste, de pratiques telles que la concurrence et la manipulation. Nous avons besoin d'une nouvelle philosophie du travail fondée sur une plus grande compréhension humaine, un plus grand respect de nous-mêmes et des autres, une conscience des qualités et des compétences qui créent la paix dans le monde : communication, coopération, responsabilité.

Ceci signifie accepter de faire ouvertement face au

travail, regarder honnêtement nos forces et nos faiblesses, et effectuer les changements qui amélioreront notre vie. Si nous consacrons sincèrement notre énergie à acquérir une meilleure attitude envers le travail, à développer ce qui a vraiment de la valeur en nous, nous pouvons faire de toute la vie une expérience joyeuse. Les compétences que nous acquérons donneront la tonalité à notre croissance et elles nous offriront les moyens d'apporter satisfaction et sens à chaque moment de notre vie, ainsi que dans la vie des autres. Travailler ainsi, c'est travailler avec des « moyens habiles* ».

L'habileté de moyens est un processus en trois étapes qui peut être appliqué à n'importe quelle situation de notre vie. La première étape est de devenir conscients de la réalité de nos difficultés, non simplement par une reconnaissance intellectuelle, mais par une honnête observation de nous-mêmes. C'est seulement ainsi que nous trouverons la motivation pour passer à la seconde étape : prendre la ferme résolution de changer. Enfin lorsque nous avons clairement vu la nature de nos problèmes et avons commencé à les modifier, nous pouvons partager avec les autres ce que nous avons appris. Ce partage peut être la plus satisfaisante de toutes les expériences, car il s'élève en nous une joie profonde et durable à voir les autres trouver les moyens de rendre leur vie accomplie et fructueuse.

Les chapitres qui suivent concernent certains des obstacles à l'harmonie et à l'équilibre qui surviennent dans des circonstances de travail, et certaines des valeurs saines que nous pouvons développer pour transformer nos difficultés en une source de croissance. Quand nous employons ces moyens habiles pour réaliser et renforcer nos qualités positives pendant le travail, nous captons les précieuses ressources qui attendent en nous

---

* Titre anglais de ce livre. NdT

d'être découvertes. Chacun de nous a le potentiel de créer paix et beauté dans l'univers. Quand nous développons nos capacités et les partageons avec d'autres, nous pouvons apprécier profondément leur valeur. Cette profonde appréciation fait que la vie vaut vraiment la peine d'être vécue ; elle apporte amour et joie dans tous nos actes et toutes les situations que nous vivons. En apprenant à utiliser les moyens habiles dans tout ce que nous faisons, nous pouvons transformer l'existence quotidienne en une source de jouissance et d'accomplissement qui surpasse même nos plus beaux rêves.

PREMIÈRE PARTIE

Être conscient

Quand nous sommes conscients des possibilités de développer notre liberté intérieure, nous pouvons commencer à nous ouvrir au plaisir, à la santé et à la satisfaction qui sont tout autour de nous. Une meilleure connaissance de soi insuffle une pénétration intuitive plus profonde, une plus grande compréhension et une sensation de paix. Nous devenons sains de corps et d'esprit ; notre travail, notre famille et nos relations prennent plus de sens.

LIBERTÉ INTÉRIEURE

Quand notre nature intérieure est vraiment libre, nous trouvons en nous-mêmes un trésor de richesse : amour, joie et paix de l'esprit. Nous pouvons apprécier la beauté de la vie, prenant chaque expérience comme elle vient, lui ouvrant notre cœur et en jouissant pleinement. Réaliser ces qualités en nous-mêmes est la plus grande liberté qui puisse être gagnée.

Et pourtant, combien de cette liberté intérieure nous accordons-nous ? Dans quelle mesure sommes-nous réceptifs à nos pensées et sentiments les plus profonds, à la nature positive de notre être intérieur ? Bien qu'à certains moments nous sentions cette richesse interne, souvent nous nous y fermons et encourageons en nous-mêmes des sentiments subtils d'insatisfaction. Parfois, nous ne pouvons même pas nous laisser être heureux sans culpabiliser, ni tirer satisfaction de ce que nous avons accompli sans ressentir également le doute et l'inquiétude.

Ces sentiments nous détournent de nos ressources intérieures, de sorte que nous cherchons la plénitude à l'extérieur de nous-mêmes. Attirés par les divers événements excitants qui se passent autour de nous, nous nous en saisissons avec avidité, croyant qu'ils vont nous apporter satisfaction. Mais en centrant notre énergie hors de nous-mêmes, nous restons sourds aux nombreux messages internes émis par nos sens, nos pensées, nos sentiments et nos perceptions. Sans cette connaissance intérieure et la liberté qu'elle apporte, notre attitude envers ce dont nous faisons l'expérience devient superficielle, notre conscience perd de sa profondeur et de sa clarté. Nous pouvons réussir dans le monde, mais même ainsi, un schisme avec notre véritable nature nous laisse sans fondations intérieures solides sur lesquelles baser notre vie. Ceci mène à de subtils sentiments d'insécurité, et la vie peut commencer à sembler vide, dénuée de sens.

Quand nous n'obtenons pas la nourriture provenant d'une bonne connaissance de soi, nous nous tournons fréquemment vers les autres pour trouver satisfaction. Mais parce que nous ne savons pas vraiment ce qui manque à notre vie, nous sommes incapables de communiquer clairement nos besoins, et il se peut alors que nous éprouvions déception et douleur. Plus nous glissons dans des sentiments d'insatisfaction, plus nous ressentons frustration et insécurité : les relations tournent à l'amertume, et nous ne pouvons pas travailler efficacement. Loin d'être libres, nous sommes emprisonnés par l'insuffisance de notre conscience, poussés dans des cycles apparemment interminables d'inquiétude et de malheur. Nous tournons et retournons en rond, cherchant le contentement sans jamais le trouver, et cette quête devient le processus répétitif de notre vie.

Nous vivons dans un monde qui bouge très vite ; ceci nous force à poursuivre le même rythme. La plupart d'entre nous ne veulent pas vivre de cette manière, mais nous avons été happés par les exigences que la société introduit dans notre vie. En surface, nous pouvons sembler libres, mais intérieurement nous souffrons des tensions imposées par cette cadence rapide. Nous vivons si vite que nous n'avons pas le temps de nous apprécier nous-mêmes ; nous perdons le contact avec nos qualités et la force qu'elles peuvent donner.

Nos obstacles à la liberté intérieure sont habituellement formés pendant l'enfance. Enfants, nous savons comment nous ressentons les choses, et nous hésitons rarement à faire connaître nos sentiments. Mais la pression issue de la famille et des amis nous conduit à adopter des points de vue et des processus répétitifs de comportement extrêmement étroits, qui se conforment avec ce qu'attendent de nous les gens. Quand nos idées et sentiments naturels ne sont pas soutenus et encouragés, nous perdons contact avec nos sens, et le courant de communication entre notre corps et notre esprit est inhibé ; nous ne savons plus ce que nous ressentons vraiment. A mesure que les types répétitifs de suppression se renforcent et deviennent plus rigides, les occasions d'expression de soi diminuent. Nous devenons tellement habitués à nous conformer qu'avec l'âge nous laissons ces structures répétitives gouverner notre vie ; nous devenons étrangers à nous-mêmes.

Comment reprendre contact avec nous-mêmes ? Que nous est-il possible de faire pour devenir authentiquement libres ? Lorsque nous pouvons commencer à regarder clairement notre nature intérieure, nous acquérons sur notre développement une perspective qui nous rend libres de croître. Cette clarté est le début de la connaissance de soi ; elle peut être développée simplement en observant l'activité de notre esprit et de notre corps.

Vous pouvez pratiquer cette observation intérieure n'importe où, quelle que soit votre occupation, en étant conscient de chaque pensée et des sensations qui l'accompagnent. Vous pouvez être sensible à la manière dont vos actes affectent vos pensées, votre corps et vos sens. En vous observant ainsi, vous ouvrez à nouveau la voie de communication entre le corps et l'esprit, et obtenez une conscience plus grande de qui vous êtes ; vous vous familiarisez avec la qualité de votre être intérieur. Votre corps et votre esprit commencent à se soutenir l'un l'autre, donnant une qualité de vitalité à tous vos efforts. Vous entrez dans le processus vivant et dynamique qui consiste à apprendre à se connaître, et la connaissance de soi que vous acquérez élève en qualité tout ce que vous faites.

Quand vous observerez de façon réfléchie votre nature intérieure, vous verrez combien vous vous êtes réprimé, combien vos sentiments et votre vraie nature ont été bloqués. Vous pouvez alors commencer à débloquer ces sentiments, libérant l'énergie qu'ils ont retenue en vous. En étant calme et honnête envers vous-même, en vous acceptant, votre confiance grandira et vous apprendrez des moyens de vous observer nouveaux et plus positifs.

Une fois que vos perceptions intérieures seront plus claires et plus fluides, la concentration vous aidera à diriger votre énergie là où elle est nécessaire. Cette concentration n'est pas une discipline rigoureuse ; elle est détendue, presque désinvolte. Votre attention est centrée, sans rigidité, mais avec une qualité agréable et légère. Vous pouvez développer cette concentration pendant votre travail en effectuant une tâche à la fois, en consacrant toute votre attention à ce que vous faites, conscient de chaque détail impliqué. Maintenez la concentration sur une tâche jusqu'à ce qu'elle soit finie, puis entreprenez-en une autre et continuez ce processus. Vous découvrirez que votre clarté d'esprit et votre compréhension intuitive deviennent plus profondes et font naturellement partie de tous vos actes.

Avec l'accroissement de la capacité de concentration vient l'attention vigilante, une conscience de chaque nuance de pensée et de sensation, de chaque action accomplie. L'attention vigilante est la combinaison de la concentration, de la clarté et de la conscience amenées à se porter sur les détails même les plus infimes de l'expérience vécue. Sans l'attention vigilante, même si vous avez l'esprit clair et concentré, vous êtes comme un enfant construisant un château de sable sans comprendre que la marée va bientôt l'emporter.

L'attention vigilante garantit que tout ce que vous faites sera accompli de votre mieux. Vous pouvez développer l'attention vigilante en concentrant votre clarté d'esprit et votre intelligence sur votre travail. Observez simplement comment vous vous y prenez pour accomplir une tâche facile. Comment commencez-vous ? Comment procédez-vous ? Comprenez-vous vraiment ce que vous voulez faire ? Prévoyez-vous où cette tâche vous mènera ? Considérez les effets de vos actes avec une perspective large tout en observant chaque détail de ce que vous faites. Êtes-vous conscient des effets de chaque phase que vous effectuez ?

A mesure que vous développez cette attention vigilante, vous devenez capable d'observer comment les défaillances de votre conscience affectent le rythme et la tonalité de votre travail. Lorsque vous travaillez attentivement, vos mouvements sont fluides et gracieux, vos pensées claires et bien organisées, vos efforts efficaces. Parce que vous êtes profondément en harmonie avec chaque étape de votre travail et avec les conséquences de chaque acte, vous êtes même capable de prédire vos résultats. Vous devenez conscient de la motivation sous-jacente à vos actes, et vous apprenez à repérer toute tendance à l'oubli ou à l'erreur. Avec une attention de plus en plus expérimentée, vous pouvez accéder à une profonde compréhension de vous-même et de vos actes.

Développer la clarté, la concentration et l'attention vigilante a la capacité de nous éduquer d'une manière qui ne pourrait jamais se produire dans une salle de classe, car le sujet de l'étude est notre nature intérieure. Chaque stade de ce processus mène à une meilleure connaissance de soi, à une qualité de précision, d'observation, qui aide à continuer une plus ample découverte de soi.

La force et la conscience que nous gagnons ainsi nous donnent la maîtrise sur la direction et le but de notre vie. Tous nos actes reflètent une gaieté naturelle, la vie et le travail acquièrent une qualité légère, agréable, qui nous soutient dans tout ce que nous faisons. La vie devient un art, une expression de l'interaction fluide de notre corps, de notre esprit et de nos sens avec chaque expérience que nous vivons. Nous pouvons compter sur nous-mêmes pour satisfaire jusqu'à nos besoins les plus profonds, et nous devenons ainsi véritablement libres. La liberté intérieure nous permet d'utiliser notre intelligence avec sagesse ; une fois apprise la façon de l'utiliser, nous ne pouvons plus perdre la clarté et la confiance qu'elle nous apporte.

Cette liberté et cette vitalité sont accessibles à chacun de nous. Quand nous sommes conscients des possibilités de développer la liberté intérieure, nous pouvons commencer à nous ouvrir au plaisir, au bien-être et à la satisfaction qui sont tout autour de nous. Une meilleure connaissance de soi insuffle une pénétration intuitive plus profonde, une plus grande compréhension et une sensation de paix. Nous devenons sains de corps et d'esprit ; notre travail, notre famille et nos relations prennent plus de sens. Nous sommes capables d'atteindre aisément les buts que nous nous fixons. Quand nous atteignons la liberté intérieure, nous découvrons une jouissance profonde et durable dans tout ce que nous faisons.

S'INTÉRESSER À SON TRAVAIL

Chaque moment de la vie est une occasion d'apprendre, chaque expérience enrichit notre vie. Nous sommes les metteurs en scène d'un spectacle magnifique, et veiller à ce que chaque moment de notre vie soit joué avec la qualité exaltante de la véritable inspiration dépend de nous. Le travail, qui constitue une large part de notre expérience quotidienne, est une occasion de développer et parfaire activement les qualités universelles présentes en nous qui rendent la vie riche et pleine de sens.

Quand nous mettons toute notre énergie dans notre travail, il devient le sol sur lequel nous bâtissons notre vie, le canal permettant d'exécuter nos plans. Le travail nous impose continuellement des exigences, il nous offre la possibilité d'un sentiment d'accomplissement que rien d'autre ne saurait fournir. Un grand plaisir peut être trouvé à vivre quand nous nous intéressons à notre travail, quand nous entreprenons des tâches difficiles, mais satisfaisantes, et que nous les accomplissons bien.

Si le travail ne joue pas ce rôle salutaire dans notre vie, c'est peut-être parce que nous n'y mettons pas toute notre énergie et notre conscience. S'intéresser à son travail signifie lui accorder toute la force de son cœur et de son esprit. En apprenant à nous y intéresser attentivement, nous pouvons transformer la frustration et l'ennui que nous ressentons si souvent au travail en une source de jouissance et d'activité sensée. Cet intérêt devient une puissante force de motivation, nous permettant d'aborder des tâches même complexes et rigoureuses avec un esprit ouvert et la bonne volonté de faire tout ce qui est nécessaire.

S'intéresser à son travail, l'aimer, et même l'adorer, semble étrange lorsque nous considérons le travail seulement comme un gagne-pain. Mais quand nous le considérons comme le moyen d'approfondir et d'enrichir l'ensemble de ce que nous vivons, chacun de nous peut trouver cet intérêt attentif dans son propre cœur, l'éveiller dans ceux qui nous entourent, utiliser chaque aspect du travail pour apprendre et se développer.

Vous pouvez découvrir par vous-même le sentiment d'accomplissement que le travail exécuté avec un intérêt attentif est susceptible d'apporter. Lorsque vous vous mettez au travail le matin, prenez le temps d'évaluer vos tâches de la journée. Ceci vous permet d'apprendre à diriger votre énergie d'une façon essentielle et de développer un sens clair de la direction à suivre et du but à atteindre.

A mesure que vous planifiez votre journée, envisageant ce que nécessite votre travail, laissez votre esprit quitter progressivement les distractions extérieures, hors de propos, et arriver à un intérêt intérieur, immédiat, pour le travail lui-même. Passer d'un esprit dispersé à une attention bien centrée, soigneuse, vous permettra d'apporter toute votre concentration à chaque tâche, et de l'achever avant de commencer la suivante. Cette façon de travailler dissipe le sentiment d'avoir trop à faire et jamais assez de temps pour y arriver. En vous organisant bien et en canalisant votre énergie sur votre travail, vous accomplirez beaucoup plus que vous ne pensiez le pouvoir.

A la fin de la journée, vous pouvez aussi passer en

revue vos progrès en examinant combien d'attention et de concentration vous avez consacré à votre travail, et la somme de ce que vous avez accompli. Quand vous avez bien travaillé, avec efficacité, de toute votre énergie, vous vous sentez plein de vigueur physique, l'esprit clair et frais. Même si vous n'avez pas atteint tous vos objectifs, votre énergie aura en fait augmenté, ce qui vous permettra d'accomplir encore davantage à l'avenir.

Bien travailler est un bon exercice pour notre corps et notre esprit. En développant une plus grande conscience de la manière de travailler avec un intérêt attentif, nous dirigeons continuellement notre énergie dans des voies productives, de sorte que nos journées se déroulent bien, et sans heurts. Au lieu de ressentir tension et fatigue au travail, nous sommes nourris par des sensations positives de plénitude joyeuse. A mesure que nous apprenons à fixer des buts avec sagesse, et à les atteindre aisément, le plaisir durable et réellement satisfaisant que nous trouvons dans le travail renforce notre capacité de nous développer dans tous les aspects de la vie.

Intégrer et appliquer au travail et à la vie les compétences pratiques ainsi que les attitudes positives, c'est de là que vient la vraie croissance intérieure. Quand nous développons cette attitude intégrée, en utilisant notre temps de travail comme terrain d'entraînement, ce travail est transformé en un processus dynamique d'apprentissage. Parce que nous consacrons plus d'attention à notre travail, les frustrations et confusions intérieures diminuent. Nous en venons à mieux nous connaître et sommes capables de changer les situations négatives en occasions positives de développement. Nous nous créons un monde nouveau : les problèmes de la vie quotidienne surgissent encore, mais nous les considérons comme des moyens d'élever et enrichir notre expérience.

Bien fréquemment, face à une difficulté de travail, notre esprit pose des limites à ce que nous pouvons faire, à ce qui semble possible ; appréhension et anxiété entravent nos efforts. Mais lorsque nous nous intéressons attentivement à notre travail, cet engagement de soi nous libère progressivement de ces limites. Nous ne nous freinons plus ; en nous consacrant soigneusement à la tâche présente, nous transformons la situation, nous entrons dans une dimension différente, un autre domaine de possibilité.

Rien qu'en changeant notre attitude — en abordant directement le travail — nous trouvons la joie d'effectuer nos tâches avec excellence, de travailler sans obstructions internes. Même lorsque nous sommes fatigués, nous constatons que nous pouvons faire jaillir de nouvelles sources d'énergie. En fait, nous pouvons puiser une vitalité renouvelée en utilisant notre énergie de façon appropriée. Nous possédons tous cette abondante énergie ; nous avons simplement besoin d'apprendre à bien l'utiliser.

En atteignant nos objectifs, nous découvrons que nous disposons de plus de temps. Nous dominons les choses, nous sommes capables de maîtriser le cours du temps, de diriger efficacement notre énergie. Le travail devient véritablement agréable et tonifiant ; nous commençons à le prendre plus à cœur, et cet intérêt est récompensé. S'intéresser attentivement à son travail, s'y engager réellement, est le secret qui permet de bien faire les choses et de tirer satisfaction de tout ce que l'on fait. Lorsque nous ressentons de l'intérêt, une attitude de vivacité détendue nous nourrit et nous soutient. Le travail, rendu léger, agréable, devient une source de connaissance et d'appréciation plus profondes.

Lorsque nous amenons dans notre travail un développement positif et des changements salutaires, nous sommes bien plus puissants que des rois ; la riche diversité de tout ce que nous ressentons est notre royaume. Notre sensibilité est semblable à l'armée d'un roi, notre conscience aiguë à ses ministres, notre amour et notre joie à sa reine. Et au roi, notre profondeur et notre clarté, notre belle attitude envers la vie, notre concentration et notre intégrité. Sans ces qualités saines, nous ne serions roi que de nom, maître d'un royaume vide ; avec elles, nous sommes invincibles, capables de réaliser des buts qui apportent paix et beauté dans la vie de tous les êtres. Le travail devient le plaisir de la vie, inspirant et plein d'énergie, si précieux que nous prenons soin de n'en pas gaspiller un seul instant.

GASPILLAGE D'ÉNERGIE

L'énergie est notre plus précieuse ressource, car elle est le moyen de transformer notre potentiel créateur en action pleine de sens. Notre corps et notre esprit sont des canaux pour cette énergie ; ils déterminent la nature de son expression. Quand nous tirons pleinement parti de toutes les possibilités que nous offre la vie, notre esprit, notre cœur et notre énergie œuvrent ensemble harmonieusement, nous ouvrant à toute la richesse de la vie, à la profonde jouissance de ce dont nous faisons l'expérience.

Quand nous sommes jeunes, nous avons une abondance d'énergie. Nos actes sont imprégnés d'une vitalité capable de nous porter à travers n'importe quelle tâche, nous permettant d'accomplir aisément tout ce que nous entreprenons. Mais comme cette énergie vient très facilement, il se peut que nous ne l'utilisions pas avec sagesse. Nous l'orientons vers nos buts personnels et ne travaillons bien qu'à ce qui nous plaît ; nous freinons l'énergie lorsqu'il s'agit des aspects plus routiniers du travail et de la vie quotidienne.

Nous pouvons penser qu'éviter un travail difficile rendra notre vie plus agréable ; nous voulons économiser notre temps et notre énergie pour les choses que nous préférons faire. Nous ne comprenons peut-être pas que la réussite vient de l'effort et de l'enthousiasme, qu'en évitant le travail nous laissons notre énergie se perdre et nous nous privons de la possibilité de développement intérieur. La vie devient comme une mare stagnante au lieu d'être un champ d'activité heureuse.

Le temps et l'énergie que nous gaspillons sont perdus pour toujours. Une partie de notre vie est jetée ; nous perdons la vitalité que donne une participation directe et complète à toutes nos activités. Quand nous croyons avoir largement le temps, nous avons tendance à nous comporter avec lenteur, à remettre les choses à plus tard. Nous pourrions avoir un comportement dynamique tout au long de la journée, pourtant nous nous laissons flotter, nous nous la coulons douce, nous dérivons d'une chose à l'autre. Quand nous utilisons ainsi notre énergie, nous allons rarement assez au fond de quoi que ce soit pour trouver une satisfaction réelle ; notre motivation est trop molle, notre attention trop déconcentrée.

Perdre notre temps et notre énergie nous laisse vides, insatisfaits. Nous regardons ce que nous avons fait, et voyons très peu, car la mauvaise volonté à embrasser *tout* notre travail nous empêche de réaliser des buts vraiment riches de sens. Quand la vieillesse approche, nous risquons de nous retrouver pleins de regrets à cause de ces années gaspillées ; après avoir dilapidé notre énergie, nous découvrons la perte trop tard pour y remédier. Le temps emporte presque mystérieusement notre vie et nous nous rendons compte que nous avons atteint peu de résultats substantiels.

En observant nos processus répétitifs de comportement au travail, nous pouvons constater les multiples façons dont nous gaspillons notre énergie. Quand nous ne mettons pas l'effort maximum dans notre travail, nous ne nous organisons pas bien et prenons du retard dans nos engagements. Nous devenons inquiets, tendus, mais au

lieu de diriger plus d'énergie sur ce travail, nous commençons à rêvasser, laissant l'esprit devenir encore moins
concentré sur ce que nous devons faire. Notre motivation
au travail s'en trouve affaiblie davantage ; nous cherchons des distractions et finissons souvent par distraire
ceux qui travaillent avec nous. Ces modes répétitifs de
comportement continuant, les autres doivent travailler
plus dur pour compenser notre attitude : un ressentiment
se met à grandir et mène au conflit, ce qui gaspille encore
plus d'énergie.

Quand nous observons ces processus répétitifs, nous
voyons que la qualité de l'énergie consacrée à notre travail détermine les bienfaits que nous en tirerons. Temps et
énergie sont les ressources qui peuvent nous aider à
atteindre tous les buts que nous voulons ; si nous
employons bien ces ressources, nous pouvons transformer notre vie. Il est donc important pour nous de
trouver l'utilisation la plus efficace de notre énergie, et de
profiter pleinement de chaque moment de notre temps de
travail.

Vous pouvez commencer par vous concentrer sur
une tâche simple, et vous sensibiliser à la façon dont
vous employez votre énergie. Examinez attentivement
votre motivation : travaillez-vous aussi bien que vous le
pourriez ? Comment utilisez-vous votre énergie ? Êtes-
vous capable de vous concentrer clairement, ou êtes-
vous entraîné ailleurs par des distractions ? Quand vous
terminez ce que vous faites, examinez les résultats de
votre travail : êtes-vous satisfait de ce que vous avez
accompli ? Avez-vous achevé la tâche rapidement, ou
vous a-t-elle pris plus de temps que vous ne pensiez ?

Une tâche routinière effectuée avec toute votre
énergie sera plus satisfaisante qu'un engagement tiède
dans un projet plus exigeant. Vous découvrirez que ce qui
fait la différence dans votre travail, c'est l'attitude avec
laquelle vous l'exécutez. A mesure que vous devenez plus
efficace pour les petites choses, vous pouvez améliorer

votre capacité d'organiser, de fixer des buts avec sagesse, et vous pouvez atteindre aisément des buts plus complexes.

Quand nous apprenons à utiliser notre énergie avec sagesse, la patience et la persévérance se développent naturellement. Nous persistons dans nos efforts, non de façon forcée, mais avec plaisir et une réelle jouissance. Chaque expérience nous nourrit ; notre faculté de conscience et notre clarté augmentent, et avec l'accroissement progressif de notre force intérieure, nous pouvons faire plus que nous n'aurions jamais cru possible. Chaque jour devient une scène où nous jouons jusqu'au bout les interactions dynamiques de notre énergie créatrice. Notre vie devient fraîche, neuve, passionnante ; notre travail est à lui-même sa propre inspiration, il révèle continuellement de nouvelles possibilités. Nous découvrons la créativité et l'intelligence naturelle de notre être intérieur, exprimées dans le caractère actif du temps, du changement, du développement.

Notre manière de travailler reflète notre conscience — c'est la manière de manifester notre être intérieur. Quand nous travaillons avec toute notre énergie, l'exercice vigoureux de notre esprit et de notre corps nous donne de la force, et tout ce que nous faisons augmente notre faculté de conscience. Nous commençons à suivre un chemin salutaire et mettons de la vitalité à tous nos actes. Nous touchons des niveaux de compréhension de soi qui nous apportent un soutien. Avec notre énergie centrée sur des tâches qui en valent la peine, notre vie devient un temps d'accomplissement et non de regret. Lorsque nous prendrons vraiment soin de nous-mêmes et aborderons le travail avec notre énergie et notre détermination toutes entières, ce que nous ferons sera toujours source de joie et de sens.

DÉTENTE

Jetez un caillou dans un cours d'eau rapide, vous ne verrez qu'un très bref éclaboussement. Que s'est-il passé quand le caillou a touché l'eau ? C'est presque impossible à dire. Mais si l'eau est calme et tranquille, nous pouvons voir le mouvement fluide des ondes s'élargissant en cercles.

Lorsque nous sommes détendus, calmes et ouverts comme une eau tranquille dans la clairière, notre nature intérieure se révèle clairement. Nous avons une perception directe et aiguë de nous-mêmes et de notre interaction avec tout ce qui se passe autour de nous. Notre énergie est bien centrée ; nous pouvons penser clairement, nous sommes capables de planifier et organiser nos pensées avec efficacité. Nous sommes sûrs de nous : nous savons ce que nous voulons accomplir, ce que sont nos obstacles, et comment les dissiper. Nous travaillons aisément, avec fluidité, en harmonie avec notre travail au lieu d'opposer une résistance à ses exigences, nous faisons simplement ce qui doit être fait. Notre travail prend une texture vivante, riche de défis à relever et d'accomplissement ; le résultat de nos actes reflète la qualité détendue que nous leur apportons. Nous pouvons ressentir et apprécier réellement le plaisir qui est ici à notre portée dans le travail, et permettre à la pleine saveur de la vie d'enrichir tout ce que nous faisons.

Pressions et tensions de la vie quotidienne, cependant, nous rendent souvent difficile de maintenir cette qualité détendue, ouverte, qui nous permet d'exprimer notre vraie nature. Quand nous sommes nerveux, tendus, nos perceptions se font nébuleuses et nous ne pouvons plus voir clairement ce qui doit être fait. Nous devenons dispersés, inefficaces, ce qui nous rend ensuite encore plus tendus et fatigués. L'inquiétude et la tension remplacent l'action sensée, et tout simplement épuisent notre énergie. Nous finissons par nous inquiéter pour notre travail plutôt que de nous y mettre directement. Cette inquiétude consomme tellement d'énergie que nous ne pouvons plus répondre ouvertement aux exigences de chaque situation nouvelle. Notre esprit bride notre corps selon des processus répétitifs de tension physique qui rendent encore plus difficile de travailler efficacement ou avec plaisir. A mesure que l'anxiété remplace le plaisir de travailler, nous nous apercevons que nous avons peu d'espace pour trouver dans notre vie une plénitude joyeuse, et peu à donner aux autres.

Nous pouvons apprendre, malgré tout, à apaiser notre esprit et notre corps oppressés, à relâcher les tensions qui entravent le cours naturel de l'énergie. Les manifestations physiques de tension sont les plus faciles à reconnaître et à traiter : muscles du visage crispés, fréquents maux de tête, ou simplement fatigue sans vraie raison. En détendant les tensions dans notre corps, nous pouvons aussi soulager notre tension mentale. Ceci nous aide à penser clairement et à traiter chaque situation efficacement. Ainsi, nous pouvons apprendre à augmenter notre énergie et à l'orienter dans des directions constructives.

Quand vous vous sentez tendu ou fatigué au travail, asseyez-vous dix à quinze minutes dans un endroit tranquille où vous ne serez pas dérangé, et fermez les yeux.

Ouvrez légèrement la bouche, commencez à respirer très lentement, très doucement. Laissez votre respiration devenir calme, tranquille, et amenez doucement votre attention sur les sensations dans votre corps. Ne pensez pas à votre travail, ou aux personnes avec qui vous travaillez ; détendez-vous simplement à l'intérieur de votre corps et de ses sensations. Lorsque vous sentez un point tendu, peut-être dans le front ou derrière les épaules, laissez votre respiration tranquille le calmer et l'apaiser jusqu'à ce que vous ressentiez une détente profonde, nourrissante.

Quand vous retournez à votre travail, entrez-y en douceur, lentement et progressivement, avec une respiration douce et en gardant le contact avec vos sensations. Développez une qualité de concentration légère. Fusionnez vos pensées et vos sensations, de sorte qu'esprit et corps travaillent bien ensemble, de façon équilibrée. Quand vous parlez, restez en contact avec la signification et la sensation de chaque mot, laissez votre voix être douce et agréable. Pendant la journée, utilisez votre respiration douce, égale, pour soutenir les qualités d'équilibre et de légèreté*.

Nous trouvons de la joie dans tout ce que nous faisons quand nous apprenons à prendre notre travail d'un cœur plus léger, au lieu de le voir comme une corvée. Le travail n'est pas chose si grave — ce n'est qu'une autre partie de la vie. Quand nous sommes alertes et détendus, nous rendons notre énergie libre de travailler pour nous de diverses façons créatrices et positives, qui profiteront aux autres de même qu'à nous.

A mesure que nous évoluons à travers nos problèmes sans tension ni anxiété, notre motivation et notre endurance augmentent, ainsi que notre capacité de trouver une solution à n'importe quelle difficulté éventuelle. Nous

---

* De nombreuses autres techniques de relaxation figurent dans *Kum Nye Relaxation, Parts 1 and 2*, Dharma Publishing : Berkeley, California, 1978. (NdT. A paraître en français.)

nous apercevons que nous avons découvert les moyens habiles pour accomplir tout ce que nous entreprenons. Travail et loisir prennent tous deux une tonalité souple, agréable. La portée de notre compréhension s'élargit, et notre capacité de goûter la vie, d'être nourris par elle, d'en dériver une satisfaction vraie, s'approfondit. Tout ce que nous faisons procure une sustentation réelle, une appréciation durable et continuelle.

La détente apporte joie et vitalité à tous nos actes, elle stimule notre intelligence et donne de l'énergie à notre corps tout entier. Notre conscience sensorielle devient d'une intense acuité, répondant avec clarté et appréciation à chaque son, chaque perception visuelle, chaque odeur. Nos mouvements et nos pensées prennent une dignité qui exprime la richesse de notre être. Comme nous travaillons et vivons en harmonie avec ceux qui nous entourent, et en harmonie avec le travail, nous inspirons aux autres la recherche de la même détente dans leur vie. Nous acquérons une perspective de la nature bonne commune à toutes les personnes, et nos actes contribuent à développer dans sa plénitude le potentiel de chaque être humain, à rendre la vie plus saine et de plus haute qualité.

APPRÉCIATION

L'appréciation jaillit du contact direct avec l'expérience, de la claire prise de conscience de la beauté de la vie, et des vraies qualités de la nature humaine. Elle se passe à un niveau bien plus profond que le simple plaisir ou la simple gratitude, car l'appréciation sincère inspire à notre être tout entier de répondre à la plénitude de la vie et à son sens. Quand nous apprécions vraiment, notre cœur s'ouvre à la beauté et à la joie de chaque expérience.

Notre cœur et notre esprit s'épanouissent grâce à la nourriture et à la satisfaction que procure l'appréciation. Ils répondent avec une force et une clarté qui font transparaître dans notre vie une lumière d'amour et de profonde compréhension. Ces qualités s'expriment dans tout ce que nous faisons, donnant à notre travail la touche de l'excellence, à nos relations celle de la chaleur humaine et de la plénitude.

Nous voulons tous le meilleur de la vie. Nous voulons le bonheur et la santé, nous voulons jouir de notre travail et l'apprécier vraiment. Pourtant, malgré nos efforts pour y arriver, nous finissons souvent dans l'insatisfaction. Nous avons peut-être un foyer agréable, une bonne famille, de bons amis : bref, une « bonne vie ». Mais si nous n'apprécions pas notre travail, alors presque la moitié de notre vie — une grande partie de chaque journée — se passe à faire quelque chose qui nous intéresse peu, que nous préférerions ne pas faire. Nous pouvons passer une telle part de notre vie à nous sentir frustrés et insatisfaits que nous ne nous éveillons jamais à la vraie joie de la vie. Nous commençons à remettre nos chances de satisfaction réelle à un vague plus tard dans l'avenir... Peut-être lorsque nous atteindrons nos buts, ou même après la mort, notre récompense viendra-t-elle... Mais la mort nous réclamera, la vie finira — aurons-nous ressenti plus qu'un moment de véritable appréciation ? La vie qui s'est écoulée nous laissera-t-elle une sensation d'heureuse satisfaction ?

Nous n'avons pas à accepter la frustration et l'insatisfaction que nous fait éprouver notre travail. Nous pouvons jouir de chaque moment de notre vie, exiger que *chaque* expérience soit riche et source d'accomplissement. Lorsque nous changeons d'attitude et découvrons la beauté latente en chaque expérience, le travail devient satisfaisant et prend un sens ; la vie est joyeuse. Ceci n'est pas une possibilité hypothétique, mais une partie fondamentale de la vie saine. Nous pouvons tous apprendre à pleinement apprécier ce que nous vivons, à l'accepter et à le ressentir dans notre corps, notre esprit, nos sens.

Quand nous croyons que cette satisfaction viendra seulement au moment où nous atteindrons notre but, quand nous ne réussissons pas à travailler chaque jour avec plaisir et enthousiasme, nous nous coupons de la vraie joie de vivre. Nous avons besoin d'aborder notre travail avec dynamisme, avec une attitude qui nous donne la force et la clarté nécessaires pour nous soutenir quand surviennent les difficultés au jour le jour.

Considérez ce qui se passe lorsque nous ne pensons qu'à notre but. Nous pouvons avoir une belle idée en tête : rêver d'une maison à la campagne et décider de la construire. Nous entreprenons le projet avec grand enthousiasme. Les choses se déroulent assez bien, puis un jour surgit un problème sérieux. Par exemple, la maison coûte des millions de plus que prévu, ou bien nous faisons une grave erreur de construction et il va falloir démolir une grande partie de ce qui est déjà fait.

A ce point, nous pouvons être découragés. L'énergie engendrée par tous les rêves reposant sur la maison achevée s'en est allée, mais nous poursuivons tout de même la construction, en nous impliquant de plus en plus profondément dans le projet. Pourtant, à mesure que les problèmes habituels surviennent, nous voyons nos rêves s'évanouir. Bâtir cette maison est frustrant : c'est trop long, et beaucoup plus difficile que nous ne pensions. Nous luttons encore un peu, puis finalement, les obstacles continuant à s'élever, nous décidons peut-être d'abandonner, de vendre la « maison de nos rêves » inachevée et de porter ailleurs notre attention.

Ceci peut arriver dans toutes nos entreprises lorsque nous échangeons le plaisir apporté chaque jour par le travail contre de beaux rêves échafaudés sur notre but. C'est encore plus décourageant quand nous découvrons que nos rêves sur ce but étaient bien plus merveilleux que la réalité. Car souvent, lorsque nous atteignons notre but, nous nous apercevons qu'il brille seulement de faibles feux, euphorie arrivée à sa brève apogée et qui passe rapidement. Cependant nous sommes prêts à échanger des mois, ou même des années, de tension, de malheur et d'anxiété contre ces quelques moments de plaisir éphémère. Nous vendons notre vie à nos rêves, qu'ils vaillent ou non le prix payé.

Parfois, comme le bâtisseur, nous laissons tomber quand les problèmes nous submergent. Même si nous continuons malgré tout, nous nous résignons aux difficultés, qui semblent faire partie de la poursuite du but. De temps à autre, en cours de route, une réussite particulière peut nous réjouir, mais d'habitude notre plaisir ne dure pas longtemps. Un autre conflit surgit bientôt et le même processus répétitif recommence : nous croyons devoir sacrifier le plaisir personnel afin d'atteindre un but. Une fois établie l'habitude d'aborder ainsi les projets, nous constatons que même la joie donnée par les réussites vraiment importantes a moins de poids que les difficultés rencontrées en chemin. La vérité est que nous avons perdu la faculté de jouir du temps et de l'effort dépensés pour réaliser nos buts.

Comment redécouvrir le secret de jouir de chaque expérience, d'apprécier les détails de chaque projet entrepris ? Ce secret est en nous ; nous pouvons nous l'enseigner à nous-mêmes. Nous savons déjà comment prendre plaisir à nos loisirs ; nous avons simplement besoin de susciter ce plaisir dans tout ce que nous faisons.

Lorsque nous prenons plaisir à quelque chose, nous sommes productifs et créateurs. La vie est riche de potentiel ; et nous pouvons étendre l'intérêt passionnant ressenti dans nos rêves à chaque instant de la vie. Si nous travaillons de notre mieux, nous en venons à apprécier chaque détail de notre travail autant que son achèvement. Alors pourquoi choisissons-nous l'ennui et la déception, quand nous pourrions chosir de rendre notre vie riche et savoureuse grâce à la faculté d'appréciation ?

Arrêtons-nous, et observons soigneusement comment nous travaillons et spécialement comment nous nous retenons de jouir de notre travail : nous pouvons ainsi apprendre à nous développer avec chaque pensée, chaque action. Nous pouvons décider de changer notre réaction et chercher le bienfait en puissance dans chaque situation. Par là, nous pouvons créer une approche positive de la vie et la fortifier. Pourquoi se tourner seulement vers l'avenir pour le bonheur, en nous sacrifiant et en luttant afin de réaliser des buts lointains, alors que nous pouvons apprendre à jouir profondément de chaque moment de notre vie ?

Nous pouvons trouver même encore plus de plaisir dans notre travail que dans nos activités de loisir. Quand nous aborderons nos tâches en sachant qu'elles nous donneront satisfaction, nous les exécuterons sans doute bien. Dans cet esprit de plaisir à l'ouvrage, nous prenons naturellement le temps d'organiser soigneusement, de prévoir les difficultés éventuelles. Nous ne sommes plus alors pris de court quand les problèmes surviennent ; nous sommes prêts à les accepter et à répondre à leur défi.

Quand nous utilisons le présent avec sagesse, tirant plaisir de tout ce que nous faisons, nous renforçons aussi notre faculté d'être heureux dans l'avenir. Apprécier la beauté de chaque instant nous aide à reconnaître la valeur de tous les aspects de l'existence. Cette récognition ajoute une dimension plus profonde à toutes nos compréhensions intuitives, elle rend nos décisions et nos actes aussi inspirants que nos buts. L'appréciation peut être notre plus grand maître, car elle nous montre à faire bon usage de nos capacités pour améliorer la qualité de la vie d'une façon durable et significative.

Quand nous apprendrons à apprécier tout ce que la vie a à nous offrir et reconnaîtrons les qualités positives présentes en nous, chaque moment sera important et plein de vie. Dans cette situation, notre corps, notre esprit, nos sens et notre énergie rayonneront de gaieté et d'enthousiasme. Quand la vie est vécue ainsi, tout acte est un nectar apaisant ; nous sommes alertes, nous apprécions profondément chaque interaction, chaque relation dans laquelle nous entrons. Nous pouvons accepter toute situation et y aviser, avec confiance en nos capacités et notre force. Vivre ainsi confère à chaque instant joie et beauté. Aucune occasion de trouver plaisir et plénitude n'est manquée ; la qualité de chaque expérience est approfondie et transformée.

CONCENTRATION

La concentration est semblable à un diamant, brillante convergence de notre énergie, notre intelligence et notre sensibilité. Quand nous sommes pleinement concentrés, la lumière de nos facultés luit de multiples couleurs, rayonnant à travers tous nos actes. Notre énergie gagne un élan et une clarté qui nous permettent d'exécuter chaque tâche rapidement et aisément, et nous répondons aux défis que présente le travail avec plaisir et enthousiasme.

A mesure que nous développons la faculté de concentration, nous découvrons une vitalité qui affine notre conscience et augmente notre appréciation de toute expérience. Mais bâtir cette concentration n'est pas toujours chose simple. L'esprit a tendance à suivre ses inclinations, généralement laissées libres dans leur direction, et nous sommes facilement détournés du travail en cours. Ceci veut dire que notre énergie s'éparpille, se disperse, au lieu d'être bien centrée sur notre travail. Nous nous mettons à accueillir les nombreuses distractions qui surgissent pendant la journée, spécialement quand nous sommes occupés à quelque chose que nous n'aimons pas.

Lorsque nous cédons aux influences qui retirent notre

esprit de ce que nous sommes en train de faire, notre manque de concentration se reflète dans la qualité de nos résultats ; moins notre attention est centrée, plus nous commettons d'erreurs, et plus nous mettons longtemps à faire les choses. Nous finissons par nous sentir frustrés à cause de notre manque d'accomplissement, et cette frustration devient une distraction supplémentaire. Maintenir notre motivation se fait difficile, et il se peut que nous cessions d'essayer, longtemps avant d'avoir atteint nos objectifs. Le temps passe, nos tâches restent inachevées, nous en venons à nous demander pourquoi nous avons si peu à montrer en résultat de nos efforts.

En apprenant à canaliser notre énergie, nous apprenons à nous concentrer. Nous pourrions le faire en forçant notre esprit à être attentif, mais quand nous tentons d'exercer notre volonté, nous finissons d'habitude par nous battre avec nous-mêmes. Le sentiment que nous devons nous concentrer pour faire notre travail nous rend nerveux et nous perturbe ; notre anxiété crée de la confusion, et nous pouvons en fait nous empêcher de bien nous concentrer.

Bien que la concentration implique la convergence de notre énergie, elle est loin d'être un rétrécissement de l'esprit ; c'est un moyen de nous ouvrir au travail, à l'expérience, à la vie. Par conséquent, apprendre à se concentrer peut être un processus beaucoup plus efficace lorsque nous nous encourageons au lieu de lutter contre nous-mêmes, lorsque nous amenons doucement, mais fermement, notre esprit à notre travail. Au lieu de considérer ce travail comme un ennemi à conquérir, envisageons les nombreux défis qu'il nous présente. Ceci permet de concentrer notre énergie d'une manière agréable et légère ; persister dans une tâche jusqu'à ce que nous ayons atteint notre objectif est alors bien plus facile. En travaillant ainsi, nous apprenons à apprécier même un travail que nous n'aimons pas faire.

Pour développer cette attitude de concentration

légère dans votre travail, commencez par vous détendre ; prenez les choses une par une. Quand vous vous mettez au travail, restez d'abord assis tranquillement quelques minutes, en respirant lentement et doucement. Soyez conscient de votre souffle qui entre dans votre corps et en sort. Coulez avec douceur dans vos sensations et laissez-les s'étendre, affermir votre énergie et calmer votre esprit. Vous pouvez alors commencer votre travail, frais et dispos.

Laissez vos pensées prendre un cours régulier et sans hâte. Envisagez votre travail avec une perspective large, en considérant les priorités et ce que vous aimeriez avoir effectué pendant la journée. Ensuite, amenez doucement votre esprit sur une seule tâche ; commencez par une tâche de routine quotidienne et planifiez son exécution. Fixez-vous un but défini, et un temps pour l'atteindre. Puis suivez ce processus entièrement, stade par stade, sans en décoller jusqu'à son achèvement. Ignorez les distractions en vous concentrant complètement, mais avec décontration, sur chaque détail de votre travail. Quand ces pensées hors de propos entrent dans votre esprit, laissez-les partir.

Au cours du travail, soyez attentif à la qualité de votre énergie ; remarquez si vous êtes absorbé dans ce que vous faites, ou si vous n'y êtes que partiellement engagé, l'esprit s'égarant vers d'autres choses. Lorsque votre esprit vagabonde, ramenez-le doucement à votre travail. Lorsque vous avez terminé votre tâche, vérifiez si vous avez accompli ce que vous aviez entrepris de faire, et notez la qualité de concentration mise dans votre travail. En travaillant de cette manière, vous remarquerez peut-être que la concentration coule naturellement une fois qu'elle commence, et même le travail le plus routinier devient intéressant, plein de vitalité.

Quand vous êtes familiarisé avec cette technique, appliquez-la à des activités de plus en plus complexes. Bientôt, vous saisirez plus vivement les besoins de votre travail et serez davantage conscient de la façon d'utiliser votre énergie. Vos pensées se feront plus organisées, votre énergie plus consistante ; vous développerez dans vos actes une séquence logique qui peut être suivie dans toute tâche. A mesure que vous maîtrisez l'aptitude à planifier soigneusement, à persister dans vos objectifs, vous observerez que votre·faculté de concentration se renforce. Voir ce que vous avez accompli éveillera votre enthousiasme, vous motivera à accroître votre faculté de conscience et votre compétence.

Quand nous savons nous concentrer, nous avons confiance en notre capacité d'accomplir n'importe quelle tâche. Nous acceptons les défis et faisons face à tout engagement avec bonne volonté. Parce que nous ne cherchons plus de distractions et n'essayons plus d'éviter le travail qui doit être effectué, le travail coule sans heurts, enrichi par la force de notre entière attention. Le but de notre activité devient clair. Lorsque nous apprenons à bien travailler, notre confiance remplace la confusion et l'inquiétude, laissant notre énergie libre d'être consacrée à la créativité, à la plénitude joyeuse et à l'accomplissement. Nous constatons qu'aucun obstacle ne pourrait nous empêcher d'atteindre nos buts.

Avec l'approfondissement progressif de notre concentration, nos pensées sont plus organisées, notre énergie plus consistante, et nous voyons qu'une conscience croissante nous permet de ressentir plus pleinement tout ce que nous faisons. La concentration devient une partie de nous-même, tout le temps et partout. Une promenade en forêt peut devenir une expérience vraiment neuve et joyeuse quand nous nous concentrons sur ses détails — la senteur de la terre, le jeu du soleil sur une feuille, la sensation de la brise dans nos cheveux. Toute vie revêt profondeur et clarté ; nous approfondissons la gamme de notre expérience et apprenons à réellement apprécier chaque moment.

A mesure que notre conscience, notre efficacité et notre faculté d'appréciation augmentent, ceux qui nous entourent en bénéficient. Quand les résultats de nos efforts apportent de la joie aux autres, quand nous partageons les changements sains que nous effectuons, ceci est le but le plus réussi que nous puissions atteindre. En même temps que grandit notre confiance en notre capacité d'aider ainsi les autres, nos buts peuvent s'élargir afin d'inclure tout le monde et, ultimement, toute la vie.

TEMPS

Le temps peut être cultivé comme un ami, une aide, car il est l'inspiration de tout ce qui existe. Le temps permet aux choses de se produire ; il est le cours des événements, le déroulement de l'expérience. Le temps nous donne l'occasion précieuse de vivre, nous développer et croître, d'apprécier notre nature intérieure. Notre temps, finalement, s'épuisera, la vie se terminera et les occasions seront passées, mais c'est cependant le temps qui aura permis à notre vie de se dérouler.

Pourtant, il est possible de traverser toute la vie sans jamais comprendre la vraie nature du temps. Nous n'accordons pas de pensée sérieuse à la valeur du temps, c'est pour cela que nous dilapidons sans la moindre réflexion de précieux moments de notre vie. En pensant qu'« il y a toujours le temps », nous remettons les choses à plus tard, ou nous le donnons aux autres en conversations oisives ou en passe-temps inutiles. Jamais nous ne serions aussi désinvoltes pour prêter de l'argent, surtout si nous savions qu'il ne nous sera jamais rendu. Mais nous croyons avoir du temps en trop.

L'habitude de perdre son temps est transmise de parents à enfants, de professeurs à étudiants, d'un ami à un autre. On ne nous apprend pas à respecter la vraie qualité du temps ou à l'employer avec une efficacité totale. Nous laissons notre temps s'en aller ; nos pensées se perdent en méandres et nous manquons d'un sens lucide de la direction à prendre ou du but. Dans cet état d'esprit, nous trouvons difficile de faire beaucoup, et ceci rend notre développement intérieur lent et irrégulier. Si nous essayons de nous rappeler ce que nous avons fait, notre mémoire est vague ; il nous semble bien avoir fait *quelque chose*, mais indiquer précisément en quoi consistent les résultats est difficile. Si subtil est cet obscurcissement de la conscience que toute la vie peut s'écouler ainsi ; la fin de la vie s'approche, notre temps est passé... et nous ne savons pas où.

La sensation vague que le temps nous dépasse peut être très effrayante. Notre vie devient précipitée ; gouvernés par le temps, ployant sous sa pression, nous nous hâtons pour répondre aux échéances. Nous nous dépêchons pour terminer une chose et sautons à un autre projet avant d'avoir achevé le premier, vivant à une allure si rapide que nous avons peu de temps pour jouir de la vie, pour approfondir notre sens de la valeur de la vie et de son but. Même si nous travaillons longtemps chaque jour, quand nous ne travaillons pas en harmonie avec le cours du temps, nous constatons que nous n'avons pas fait grand-chose de vraiment satisfaisant.

Perdre notre temps, c'est comme retirer une à une les perles d'un collier étincelant et les jeter. Mais quand nous l'employons bien, chaque minute rehausse par un joyau de plus la beauté de notre vie. Le temps est notre vie, c'est pourquoi il est très précieux, et nous devons apprendre à l'apprécier comme un trésor. Nul temps ne peut revenir identique, nulle expérience ne peut être reproduite. Chaque moment est unique, un cadeau à chérir et à bien utiliser. La vie est sans prix, et si nous la gaspillons en gaspillant notre temps, nous perdons la rare valeur de cette occasion favorable, notre vie.

Quand nous arrivons à comprendre que le temps *est* notre vie, nous pouvons commencer à observer de plus près comment nous l'employons, et apprendre à bien l'employer. En faisant soigneusement attention à chaque moment, à chaque détail de ce moment, nous pouvons apprendre à utiliser ces moments innombrables pour réaliser nos buts, et apporter dans notre vie une riche sensation d'accomplissement.

Nous constatons qu'apprendre à faire bon usage du temps demande une certaine organisation ; nous devons procéder avec soin, stade par stade, en utilisant et appréciant complètement chaque moment avant de passer au suivant. Un charpentier ne construit pas une maison en flanquant ensemble des murs et un toit, avec quelques fenêtres çà et là. Il crée un plan, puis procède attentivement à chaque détail ; il élève la construction à partir des fondations, clou par clou, planche par planche, brique par brique. Apprendre à faire bon usage du temps est un processus similaire. Chaque minute est une partie importante de la tâche en cours, elle doit être soigneusement considérée et intégrée dans le projet général.

Un charpentier qui aurait négligé les détails de son travail, jeté de bons clous, omis un étrésillon par-ci par-là, monté des portes qui coincent et des planchers branlants et grinçants, serait appelé un escroc. Or quand nous nous éparpillons et laissons notre temps s'enfuir, nous sommes en plus mauvaise posture que le charpentier. Non seulement notre travail en souffre, mais nous sommes en dessous de ce que nous pourrions être : nous nous escroquons personnellement. La vie contient trop de bonheur pour être gâchée par ce manque de soin.

Pour commencer à avoir une idée de la façon dont vous employez votre temps, revoyez soigneusement le mois passé. Observez de combien de temps vous disposiez, en développant la conscience de la valeur de chaque moment. Puis regardez comment vous avez employé chaque semaine, chaque jour, chaque heure. Si vous ne pouvez rendre compte de tout votre temps, encouragez-vous à prendre davantage conscience de la façon dont passe votre temps.

Lorsque vous apprenez à mesurer attentivement votre temps, le temps lui-même semble se dilater. Vous pouvez travailler plus vite, pourtant la rapidité perd son caractère frénétique et précipité, votre rythme devient calme, régulier. Le travail se fait vite parce qu'il est bien organisé, et chaque moment disponible est utilisé au maximum. Comme vous savez où vous vous dirigez, vous êtes plus à même de prédire le résultat de votre travail, et vous avez davantage confiance en votre capacité de réussir.

Si l'on nous apprenait dès la petite enfance à faire bon usage du temps, que de choses pourraient être accomplies ! La réussite et le succès ne sembleraient pas se produire au hasard, comme s'ils relevaient de la chance ou d'une heureuse destinée, mais seraient à la portée de chacun. Quand nous laissons la dimension du temps transformer nos entreprises, les possibilités de croissance intérieure et d'expérience fructueuse sont illimitées. « Prendre du bon temps » est une expression courante, mais son vrai sens nous échappe souvent, c'est : bien travailler, se développer intérieurement, trouver une satisfaction durable dans la vie.

Avec notre maîtrise progressive de l'utilisation du temps, nous sommes capables de jouir de notre travail et de bien le faire ; nous jouissons alors plus pleinement d'autres activités. Notre conscience du temps, fortifiée, avive une appréciation de tout ce qui se passe autour de nous. Notre énergie augmente ; nous pouvons la partager avec d'autres, les aider à apprendre à se développer. Un sentiment d'être utile et d'aider les autres grandit en nous, ce qui enrichit encore le sens de notre travail et de notre vie. A mesure que nous apprécions la valeur du temps et structurons notre vie avec clarté, nous puisons aux sources les plus profondes de la potentialité humaine.

DU NERF A L'OUVRAGE

Chacun de nous a vécu des moments où nous étions tellement plongés dans ce que nous faisions que tout ce qui importait était de le faire. Pensées étrangères, petites distractions et ennuis mineurs ne recevaient aucune attention. Nous nous préoccupions uniquement de chaque étape de la tâche et notre concentration était consacrée au processus de son exécution. A ces moments-là, nous étions lucides sur nos buts, lucides sur ce que nous devions faire pour les atteindre.

Quand nous achevons ce travail, les résultats expriment la clarté et la profondeur de notre engagement, et nous brillons d'une riche sensation d'accomplissement qui renforce notre confiance en nous-mêmes. La satisfaction ressentie demeure en nous ; elle nous encourage, nous motive à continuer à travailler ainsi, et soutient le développement des qualités positives révélées dans notre travail.

Cela, c'est travailler avec du nerf à l'ouvrage, et chacun de nous est capable de le faire. Nous développons cette qualité en nous ouvrant complètement à ce qui nous attend, acceptant les exigences de notre travail avec bonne volonté, et même avec plaisir. La qualité légère et allègre de notre énergie nous porte avec assurance pendant notre travail et inspire ceux avec qui nous travaillons. Travailler ainsi est profondément satisfaisant ; alors, qu'est-ce qui nous empêche de le faire tout le temps ?

Chaque fois que nous entreprenons quelque chose de nouveau, il se peut que nous anticipions les obstacles possibles et les limitations auxquelles nous pensons devoir être confrontés en nous-mêmes et avec les autres. Même si nous avons de l'enthousiasme pour ce travail, nous sommes peut-être gênés par une obscure crainte de ne pas réussir. Cette crainte entrave le libre cours de notre énergie, elle nous empêche aussi d'apprécier pleinement l'excellence et la valeur intérieure de notre travail.

Parce que nous avons peur d'investir toute notre énergie dans notre travail, nous commençons à saper la force de notre engagement. Par exemple, nous suspendrons continuellement ce travail pour manger un peu, aller chercher un outil, boire un verre d'eau, rappeler quelque chose à quelqu'un. Même au cas où nous réalisons que rien de tout cela n'est vraiment nécessaire, nous continuerons à nous interrompre et nous distraire. Quand nous prenons du retard dans notre travail, nous essayons peut-être alors de trouver le moyen le plus rapide de le terminer, en y mettant juste assez d'énergie pour s'en tirer.

Quand nous recherchons la facilité pour nous en sortir, souvent nous ne faisons que l'indispensable et consacrons plus d'énergie à trouver des excuses qu'au travail lui-même. Comme nous n'accordons qu'une attention partielle à notre travail, nous commetons fréquemment des erreurs, interprétons de travers des instructions, ou n'arrivons pas à respecter les délais. Si nous percevons que nous ne travaillons pas bien, nous commençons à nous sentir coupables, et cette culpabilité porte ombrage à tous nos actes. Si d'autres nous critiquent, mettent en question nos résultats, nous trouvons peut-être encore plus d'excuses à notre échec à faire du bon travail.

Quand nous prenons notre travail de cette façon,

nous prêtons peu d'attention au temps et à l'énergie que nous dépensons à le faire ; nous ne pouvons donc pas apprécier l'expérience si importante dont le travail peut être l'occasion. Ainsi, pour beaucoup d'entre nous, le travail devient un devoir déplaisant, frustrant, insatisfaisant. Le temps s'éternise lourdement, nous regardons notre montre en espérant que la journée va vite passer. Notre attention vagabonde, et le travail est fait à un mauvais moment ou remis à plus tard jusqu'à ce qu'il soit oublié.

Quand nous n'investissons pas notre énergie dans notre travail, tout notre être en est affecté : nos yeux, notre voix, même nos gestes, peuvent indiquer aux autres que nous ne donnons pas notre mesure. Notre motivation vacille, et les qualités que nous estimons le plus dans notre travail — notre efficacité, notre rendement, notre plaisir durable — sont affectées. Quand nous n'utilisons pas pleinement notre énergie, nous trouvons difficile de respecter nos décisions, ou d'assumer la responsabilité des résultats de notre travail.

Nous croyons peut-être que la vie serait plus satisfaisante si nous n'avions pas à travailler aussi durement, si nous disposions de plus de loisir — et pourtant, la source de notre mécontentement est en fait notre manque d'engagement dans le travail. Quand nous ne faisons pas l'effort de travailler en y mettant du nerf, nous faisons obstruction à l'énergie, à l'intérêt et à la concentration qui donne à la vie sa vitalité. Nous pouvons laisser notre vie entière s'écouler, accomplissant très peu, acquérant peu de véritables compétences, changeant fréquemment de travail ; bref, nous pouvons traverser la vie à la dérive sans jamais ressentir la profonde satisfaction qui vient de bien utiliser notre énergie.

Chaque fois que vous vous surprenez à être insatisfait de votre travail, vous pouvez y voir un signe que vous ne travaillez pas avec du nerf à l'ouvrage. Si votre travail n'a pas l'air de bien se passer, prenez le temps d'analyser la situation. Voyez-vous clairement vos buts, et ce que vous devez faire pour les atteindre ? Assumez-vous la responsabilité de ce qui doit être fait ? Remettez-vous le travail à plus tard, ou bien le finissez-vous dès que possible ? Cédez-vous aux distractions, ou bien dirigez-vous l'énergie sur votre travail ? Êtes-vous conscient de la façon dont vous employez votre temps ?

Quand vous observerez vos réponses typiques à ces situations, vous obtiendrez une compréhension intérieure de vos attitudes envers le travail. Avec une perspective claire et honnête de votre travail et de ses exigences, vous pouvez consacrer tout votre soin et votre énergie à chaque tâche.

Être conscient de nos processus mentaux répétitifs dans le travail et dans les relations avec les autres, et être honnête dans l'utilisation de notre énergie, peut nous amener à une vie profonde et riche de sens. Quand nous faisons face à nos problèmes et à nos imperfections avec toute la force de notre énergie et avec la ferme détermination de travailler efficacement, nous pouvons tirer pleinement parti de chaque occasion précieuse de développement. A mesure que nous nous affirmons dans chaque chose effectuée, apprenant à apprécier notre progrès autant que les résultats auxquels nous tendons, nous commençons à connaître la satisfaction qui vient de bien faire son travail.

Travailler avec du nerf, c'est travailler intensément, toute notre attention centrée sur notre travail, en lui consacrant toute notre énergie. Nous sommes capables de nous concentrer, de mettre du cœur dans toute entreprise. Nos résultats sont satisfaisants lorsque nous travaillons ainsi ; nous sommes attentifs au défi que contient chaque tâche, nous lui faisons face ouvertement et avec bonne volonté, en surmontant les obstacles imposés par nous-mêmes qui empêchent notre progrès. Il n'y a aucune raison de craindre l'échec, car lorsqu'on s'ouvre entièrement et accepte de donner son énergie, on ne peut que bien faire. Même si nous n'atteignons pas nos buts, quand nous travaillons en y mettant du nerf, nous ressentons la satisfaction d'avoir utilisé dans leur plénitude notre potentiel et notre énergie.

Nous employons toutes les ressources qui nous sont disponibles, à la fois les ressources matérielles et nos ressources humaines en énergie, intelligence, temps, facultés sensorielles et sentiments. Il ne s'agit pas simplement d'ajouter de la vigueur à nos actes, ou un plus grand élan à nos pensées ou à la résolution des problèmes. Ces éléments aident dans toute entreprise, mais travailler avec du nerf à l'ouvrage requiert une implication totale de notre esprit, notre cœur, notre énergie et notre conscience.

Quand le travail est effectué en y mettant du nerf, les problèmes ne sont jamais des obstacles majeurs. Nous sommes profondément concernés par le travail et ses résultats ; tout ce que nous faisons devient véritablement intéressant. A mesure que s'ouvrent de nouvelles possibilités, nous trouvons plus de sens à notre travail. Nous nous impliquons dans nos progrès et nos réussites, inspirés par les exigences et les défis rencontrés.

Au lieu d'éviter notre travail, nous évitons naturellement ce qui nous en distrait. Espérances et enthousiasme colorent chaque moment, imprègnent notre vie d'une jouissance allègre. Tout ce que nous faisons reflète l'intérêt assidu et le cœur ; les résultats sont profondément satisfaisants. Le travail est tout à fait équilibré. Quand nous travaillons avec du nerf à l'ouvrage, nous captons la vraie source de créativité, de clarté et de sens dans la vie.

DEUXIÈME PARTIE

Changer

Quand nous faisons directement face à nos problèmes et les traitons à fond, nous découvrons de nouvelles façons d'être. Nous bâtissons la force et la confiance qui nous permettront de résoudre des difficultés futures. La vie devient un défi plein de sens nous conduisant à une plus grande connaissance et un plus vaste éveil de l'esprit. Nous découvrons que plus nous apprenons, plus nous croissons intérieurement ; plus nous relevons de défis, plus nous gagnons en force et en conscience. Quand nous vivons en accord avec le processus de changement, nous faisons quelque chose de précieux rien qu'en vivant.

CHANGEMENT

Les fleuves s'écoulent, les montagnes s'érodent, les civilisations grandissent et déclinent... Infinis sont les cycles de changements. Le monde tel que nous le connaissons aujourd'hui a été façonné par les changements géologiques et évolutionnaires, qui, de tous, ont la plus lente progression. Des sociétés et des cultures sont apparues et se sont évanouies, chacune ajoutant une nouvelle dimension à la vie humaine. En deux cents ans seulement, les États-Unis sont passés d'une frontière primitive au stade de la nation la plus avancée technologiquement et la plus puissante de la terre. Les événements mondiaux reflètent le changement à mesure qu'apparaissent de nouveaux dirigeants et de nouvelles tendances — et qu'ils passent pour faire place à d'autres dirigeants et d'autres tendances. La valeur de l'argent fluctue, les enfants naissent, les gens meurent ; jamais rien ne demeure pareil.

Et pourtant, bien que chacun de nous change de jour en jour, nous trouvons rarement aisé de changer comme nous voulons ou comme nous avons besoin. Même quand nous ne sommes pas heureux, il semble souvent plus facile, et même mieux, de s'en tenir à ce que l'on a, de rester pareil. Nous choisissons d'ignorer les chances de satisfaction et de bonheur que peut apporter l'action positive. Nous nous accrochons à l'idée que nous ne sommes pas capables de nous adapter aux exigences de notre travail et de notre vie ; ou bien nous pouvons croire que nous avons suffisamment changé. Si l'on nous adresse la critique de mener une vie creuse, nous nous mettons sur la défensive, trouvant des excuses, proclamant que nous sommes ce que nous sommes, que nous ne pouvons pas changer. Il est facile de passer ainsi toute une vie, en refusant de prendre la responsabilité de notre propre développement.

Nous ne souhaitons pas faire l'effort de changer, or lutter contre le changement demande un effort encore plus grand. Essayer d'empêcher le changement dans notre vie est comme essayer de nager à contre-courant. Cette attitude nous épuise et nous frustre jusqu'à ce qu'une impression de défaite commence à imprégner notre vie. Mais nous pourrions, au lieu de cela, choisir de tirer profit de la nature transitoire de l'existence et apprendre à participer au courant dynamique de la vie, en harmonie avec le processus de changement.

Changer est naturel et sain, ce n'est pas à craindre ni à éviter. En observant attentivement les changements qui ont eu lieu dans notre vie, nous pouvons voir que le processus de changement est ce qui amène toutes les bonnes choses. Lorsque nous acceptons de changer, la vie nous fait dépasser les temps difficiles et nous conduit dans des temps de joie et de vitalité. Une fois que nous avons compris que le changement agit continuellement sur nous et en nous, nous pouvons apprendre à utiliser l'énergie du changement pour diriger notre vie.

Réfléchir à la manière dont vous avez changé au cours du temps est une aide pour apprendre à apprécier et développer votre aptitude à changer. Vous n'êtes pas la même personne qu'il y a dix ans. En quoi êtes-vous différent ? Qu'étiez-vous avant ? Votre être actuel et votre être passé seraient-ils amis s'ils se rencontraient ? Qu'aimeraient-ils l'un de l'autre, et qu'est-ce qui leur déplairait ? Comment êtes-vous devenu celui que vous êtes maintenant ? Vos idéaux, vos pensées et opinions ont changé ; par quoi les précédents ont-ils été remplacés et pourquoi ? En revoyant les changements passés, vous pouvez savourer le développement et les progrès accomplis, et apprécier les bienfaits apportés dans notre vie par le processus de changement.

Quand vous remarquez à quel point vous avez changé et vous vous êtes développé même sans essayer consciemment de le faire, il vous est possible de comprendre combien vous pourriez progresser si vous faisiez vraiment l'effort de changer. Cela peut vous aider de penser à votre vie actuelle par rapport à la personne que vous deviendrez dans l'avenir. Vos actes d'aujourd'hui amélioreront-ils votre vie, l'enrichissant en croissance intérieure et en expérience positive ? Que penserez-vous quand, dans dix ans, vous regarderez en arrière ? Dans quelle mesure aurez-vous efficacement contribué aux changements qui se sont produits ? En vous interrogeant ainsi sur votre vie, vous gagnerez une perspective plus claire de votre motivation à changer et à vous développer.

Apporter un changement positif dans votre vie peut être assez simple : cela commence à avoir lieu dès que vous décidez d'augmenter vos capacités. La prochaine fois que vous vous trouverez pris dans un processus mental répétitif limitant, lâchez vos points de vue et prévisions fixes, ouvrez-vous à tout ce qui peut être appris d'une nouvelle manière d'être. Cette énergie que vous utilisiez auparavant pour renforcer vos vieux processus mentaux répétitifs, utilisez-la maintenant pour prendre en main vos difficultés vite et bien. Quand vous vous affirmerez ainsi, vous ne trouverez aucune limite à votre énergie créatrice, à la plénitude de votre expérience.

Continuez votre journée avec calme et stabilité, l'esprit serein. Quand vous êtes intérieurement paisible et détendu, vous pouvez reconnaître les processus mentaux stéréotypés gênants à mesure qu'ils s'élèvent, et les laisser vous apprendre à changer. Chaque fois que vous

vous trouvez dans une situation difficile, faites une pause avant de réagir. Vos actes en ont-ils été une des causes, d'une façon ou d'une autre ? Êtes-vous en train de vous chercher des excuses ? Dans ce cas, acceptez-vous plutôt vous-même... et en même temps changez votre réaction typique. Si vous étiez sur le point de réagir émotionnellement, prenez du recul et regardez plus calmement la situation. Choisissez une réaction plus saine. Les habitudes du passé peuvent être changées, les qualités positives encouragées et développées. Changer est une alternative toujours ouverte, car votre croissance intérieure et votre développement sont une question de choix personnel. Tout ce que vous avez à faire est de vous décider.

A mesure que nous changeons nos habitudes et nos processus mentaux répétitifs, nous nous apercevons que nos problèmes peuvent nous apprendre à croître intérieurement. Pourtant nos problèmes sont souvent pénibles et perturbants, c'est pourquoi notre tendance naturelle est d'essayer de les éviter ; nous cherchons toujours des moyens d'échapper aux situations difficiles, ou de contourner les obstacles rencontrés. Mais nos problèmes sont comme des nuages : ils semblent troubler la sérénité d'un ciel clair, cependant ils contiennent l'humidité fertile qui nourrit la croissance. Quand nous faisons face directement à nos problèmes et les traitons à fond, nous découvrons de nouvelles façons d'être. Nous bâtissons notre force et notre confiance pour résoudre des difficultés futures. La vie devient un défi plein de sens nous conduisant à une plus grande connaissance et un plus vaste éveil. Nous découvrons que plus nous apprenons, plus nous croissons intérieurement ; plus nous relevons de défis, plus nous gagnons en force et en conscience. Quand nous vivons en accord avec le processus de changement, nous faisons quelque chose de précieux rien qu'en vivant.

Dans les moments de profond découragement où vous avez envie d'abandonner, ou lorsque vous pensez qu'il est trop tard dans la vie pour commencer à effectuer quelque changement, ne vous arrêtez pas là. En vous encourageant, vous pouvez soutenir votre motivation à apprendre, à grandir intérieurement, à utiliser créativement votre potentiel. Au lieu de vous autoriser à rester fixé dans de vieux processus mentaux répétitifs, vous pouvez les mettre en question et les briser. Quand vous agirez ainsi, vous développerez vos aptitudes et augmenterez la richesse de ce que vous vivez, plus que vous n'avez jamais imaginé. Au lieu de couper court à vos ambitions, vous pouvez prendre l'énergie de vos attitudes négatives et l'affermir en une force de changement réfléchie et bien centrée.

Une fois compris que nous pouvons choisir de changer, il nous est possible d'envisager l'avenir avec plaisir, de réellement *avancer* dans l'avenir, et nous développer intérieurement aussi rapidement que nous choisissons. Confiants dans notre capacité de croître en force et en santé par nos propres efforts, nous devenons un exemple pour ceux qui sont autour de nous, et ceci les encourage à changer aussi. Ce soutien, ce partage d'expérience, est l'une des plus grandes ressources de l'humanité.

Quand nous sommes ouverts au changement, nous constatons que notre esprit est une source créatrice de joie et de bonheur, et notre corps plein d'énergie. Corps et esprit forment ensemble un bon véhicule ; chacun est une aile qui nous permet de nous envoler pour relever les défis de la vie. Nous apprécions notre chance d'être capable d'utiliser notre esprit et notre corps pour approfondir et enrichir notre travail, nos relations et notre vie.

Réfléchissez aux valeurs qui sont en train de se développer : cœur ouvert, bonne volonté à vous confronter directement à la vie, confiance en vous-même. On peut prendre la vie comme si elle n'était qu'une corvée de plus, mais quand nous décidons de tirer parti des nombreuses occasions de changer positivement, nous pouvons rendre notre vie saine et pleine de vitalité. Nous développons une appréciation sincère de nous-mêmes, une sensation de bien-être qui rayonne à travers tous nos actes. Quand nous réussissons à changer, nous pouvons le voir, et en être fiers. En voyant le changement effectué en nous, d'autres aussi seront encouragés. Quand nous soutenons ainsi mutuellement notre croissance intérieure, le travail est sans heurts et notre cœur joyeux.

COMMENT FAIRE FACE

Même si notre vie est dans l'ensemble heureuse et réussie, nous pouvons cependant avoir à faire face à de nombreux problèmes. Ils exigent notre attention, et empêchent la paix naturelle de l'esprit qui fait de la vie un plaisir. Ces problèmes peuvent parfois nous submerger, en particulier lorsqu'ils surviennent à cause de notre inaptitude à voir en face nos fautes ou nos échecs. Des sentiments puissants et perturbants peuvent s'élever en nous, de sorte que nous finissons par ressentir que nous ne pouvons tout simplement pas faire face à ce qui se passe.

De temps en temps, nous sentons peut-être un ennui venir et parvenons à en éviter le pire ; d'autres fois, en nous retrouvant soudain au milieu de difficultés, nous les surmontons en luttant de notre mieux, peut-être avec l'aide recherchée auprès d'amis. Ou nous pouvons tenter d'échapper complètement au problème, essayant de le contourner, plutôt que de le traiter à fond. Ceux qui ont de la chance trouvent parfois une échappatoire à leur difficulté en « se dégageant de toute cette histoire », mais la plupart d'entre nous ne dispose pas de cette alternative. Et nous avons tous des problèmes qui sont simplement impossibles à éviter.

Il semble n'y avoir aucun moyen de se protéger

contre tous les problèmes. Mais alors que, c'est vrai, nous avons peu de contrôle sur bien des choses qui se passent dans notre vie, même la plus difficile des situations demeure un problème seulement tant que nous nous laissons emporter par nos réactions émotionnelles. En général, nos problèmes sont le résultat de notre réaction intérieure à une situation ; quand nous n'avons pas une claire connaissance de nous-mêmes, nous sommes comme étrangers à nos sens, à nos pensées, à nos sentiments, et contrôler nos réactions est difficile. Ainsi les problèmes sont récurrents dans notre vie parce que nous n'avons pas appris à les traiter efficacement. Il se peut que nous nous tournions vers d'autres personnes pour être aidés et guidés à travers nos difficultés ; mais nos amis, tout en étant sans doute bien intentionnés, souvent ne possèdent pas les réponses dont nous avons besoin.

Nous pouvons apprendre à compter sur nous-mêmes pour résoudre nos problèmes en faisant attention à nos processus répétitifs de réaction, et en devenant conscients des motivations qui peuvent nous mettre dans des difficultés. Quand nous reconnaissons la teneur de nos sentiments et émotions, et en venons à voir clairement le résultat de nos actions, nous découvrons que notre propre manque de lucidité a contribué à nos problèmes.

Apprendre à reconnaître comment vous réagissez devant les difficultés est le premier pas pour développer une conscience lucide. Remettez-vous en mémoire deux ou trois fois où vous avez été perturbé par une circonstance à laquelle vous ne sembliez pas pouvoir faire face. Examinez successivement chaque incident : comment exactement est-il arrivé ? Qui d'autre était impliqué ? Comment avez-vous finalement résolu le problème ? Les mêmes processus répétitifs se sont-ils reproduits ? Ces questions vous donnent du champ pour prendre du recul, acquérir une compréhension intérieure de ce qui a causé les problèmes, et penser avec réalisme à de nouvelles possibilités pour faire face à des situations similaires. Quand vous commencez à reconnaître les processus répétitifs de vos réactions aux problèmes, vous pouvez devenir votre propre conseiller et apprendre à empêcher que des problèmes semblables ne s'élèvent.

Acquérir une intelligence de votre façon de réagir dans des moments difficiles vous aidera à rediriger les énergies de vos émotions. Lorsque vous êtes déprimé ou perturbé, prenez du recul et observez la douleur ressentie. N'essayez pas d'interpréter ou de juger ce que vous éprouvez ; contentez-vous de localiser la sensation et observez-la attentivement.

La confusion, la tension et la dépression contiennent toutes de l'énergie qui peut être utilisée *pour notre bien* autant que contre nous. Lorsque nous sommes capables d'affronter calmement nos difficultés sans essayer d'y échapper, sans essayer de manipuler ou réprimer nos sentiments, il est possible de voir quelque chose que nous n'avons jamais vu auparavant. Nous réaliserons peut-être très clairement que, tout simplement, nous ne voulons plus de cette douleur. Nous pouvons alors découvrir en nous-mêmes la motivation de changer les habitudes qui nous conduisent à des difficultés.

Nous pouvons employer l'énergie de nos émotions pour faire face habilement à nos problèmes, pour redécouvrir la claire interaction de l'esprit et des sens qui permet à notre énergie de couler dans des directions plus positives. En fait, nos émotions ne sont qu'énergie ; elles deviennent douloureuses quand nous nous attachons à elles et les identifions comme négatives. Nous pouvons transformer cette énergie en sentiments positifs, car c'est finalement nous-mêmes qui déterminons ces réactions. Le choix dépend de nous : nous pouvons nous appesantir sur des émotions négatives, ou bien prendre leur énergie et l'utiliser pour encourager une réponse plus saine à nos problèmes.

Quand vous rencontrez des problèmes en vous-

même, ou des difficultés dans votre travail ou vos relations avec d'autres, prenez quelques minutes pour vous
asseoir tranquillement. Ouvrez très doucement les yeux et
essayez de visualiser le problème, en vous laissant le ressentir pleinement. Puis fermez doucememt les yeux,
entrez profondément dans vos sentiments jusqu'à ce
qu'ils se dissolvent et que vous soyez rafraîchi, détendu.

Puis ouvrez lentement les yeux, et sans rien regarder
de spécial, visualisez des aspects du problème que vous
avez peut-être omis. Fermez de nouveau les yeux,
immergez-vous le plus complètement possible dans ces
sentiments jusqu'à ce qu'eux aussi se dissolvent et que
vous vous sentiez rafraîchi et rénové.

Répétez ce processus encore quelques fois, jusqu'à
ce que vos sentiments négatifs disparaissent complètement. Quand vous avez fini, ouvrez lentement les yeux
et laissez votre respiration être très douce, très calme.
Laissez votre souffle, votre conscience, et la lumière que
vous voyez autour de vous fusionner et s'équilibrer. A
mesure que ceci s'établit, vous ressentirez une impression de légèreté, clarté, ouverture. Développez et sou-
tenez cette sensation en continuant à respirer doucement,
équilibrant chaque inspiration et expiration. Quand vous
faites ceci, votre corps prend vie, votre esprit devient plus
concentré, et votre faculté de conscience se développe.

Envisagez la journée comme si vous alliez commencer une vie nouvelle. Ne transportez aucune résistance
dans votre nouvelle vie ; vous commencez à neuf, sans
problèmes ni obstacles dans votre passé ou votre avenir.
Dans cette nouvelle vie, toute expérience vibre d'une
tonalité riche et pleine de vitalité. Vous êtes entièrement
connecté à ce qui se passe à chaque moment, en contact
avec une clarté radieuse, conscient de tout ce qui a lieu
en vous et autour de vous.

La clarté gagnée en utilisant notre énergie positivement fait plus que nous élever au-dessus de nos difficultés
immédiates ; elle nous enseigne des choses sur nous-

mêmes, et transforme des réactions improductives en canaux positifs pour faire face avec efficacité. Une fois que nous commençons à comprendre nos processus mentaux négatifs, nous acquérons plus de confiance en notre aptitude à traiter personnellement nos problèmes. Quand nous possédons intérieurement la clarté et l'équilibre, nous sommes capables d'utiliser nos ressources pour aviser à tout ce qui peut survenir ; nous n'avons plus besoin des autres pour nous aider.

Une fois que nous avons appris à faire face ainsi, cette capacité demeure avec nous, elle nous aide à accepter et affronter tout ce qui arrive dans notre vie. Nous développons des aptitudes importantes : avoir la perception exacte de ce que nous ressentons, et savoir y aviser avec promptitude. Voir l'amélioration que ceci apporte dans notre vie, dans nos relations, dans notre travail, donne une grande satisfaction. Le sens de notre valeur personnelle commence à grandir en nous, et ceci allège déjà bien des peurs et des inquiétudes qui font s'élever nos difficultés.

Avec cette forte sensation de pouvoir résister à la tempête, nous sommes capables de voir plus loin que le moment même et d'acquérir une perspective de notre vie. Nous reconnaissons que chaque jour apportera une nouvelle expérience. Nos difficultés cessent de sembler aussi insolubles et interminables, car nous savons que nous pouvons venir à bout de tous les problèmes qui pourraient surgir, et nous sommes stimulés pour les traverser et les dépasser avec sûreté et efficacité. A mesure qu'une attitude saine, auto-nourrissante, nous donne une assise intérieure ferme, nous constatons que les problèmes surviennent moins fréquemment dans notre vie. Il se peut que nous réagissions encore aux pressions extérieures, cependant, nous pouvons contrôler nos réactions et employer notre énergie pour avancer dans des directions saines.

Notre potentiel pour vivre et agir avec positivité est

tellement abondant ! Nous possédons intérieurement une puissance et une dignité qui peuvent nous soutenir, donner de la force à notre vie et inspirer ceux qui sont autour de nous. Quand nous atteignons la sereine confiance qui découle de notre force intérieure, tout notre environnement s'équilibre, devient léger, et agréable. Voilà le résultat obtenu lorsqu'on apprend à faire face aux conflits que tous, nous devons traverser. En découvrant en nous cette force, nous augmentons nos aptitudes à trouver du sens et du contentement dans la vie.

Cela dépend vraiment de nous. En nous ouvrant au potentiel contenu dans nos problèmes pour rehausser notre compréhension intérieure de nous-mêmes, nous pouvons changer la qualité de notre vie et aider à changer la vie de ceux qui sont autour de nous. Nous savons qu'il y aura toujours des difficultés à affronter et des problèmes à résoudre, mais en assumant nos responsabilités, nous apprenons à leur faire face. En travaillant sur nous, en acquérant une plus profonde connaissance de nous-mêmes, puis en partageant avec les autres notre force grandissante, nous créons un point d'appui qui aide à faire de notre vie, et du monde, un lieu meilleur où vivre.

ÉCHAPPATOIRES

Dans un projet nouveau, au début, tout est neuf et passionnant. Tant de possibilités s'ouvrent à nous, nos espoirs volent haut, notre énergie et notre enthousiasme sont illimités. Mais à mesure que des problèmes surgissent, l'enthousiasme initial peut commencer à s'estomper. L'avenir perd de ses promesses, notre volonté et notre détermination vont peut-être vaciller. Chercher des moyens d'éviter notre travail peut sembler bien plus facile que de nous laisser inspirer par les défis à relever qu'il représente.

Quand les exigences du travail sont difficiles à satisfaire, il se peut que nous choisissions de ne pas donner toute notre énergie. Comme nous ne sommes pas concentrés sur ce travail, notre énergie s'éparpille, devient confuse, et nous commençons à dériver tout au long de nos journées. Nous nous trouvons des excuses pour ne pas travailler efficacement : ne pas se sentir bien, avoir besoin de plus de temps. A l'arrivée de distractions, nous leur répondons promptement, par des pauses fréquentes, ou en allant faire des courses inutiles, peut-être avec un arrêt en chemin pour parler à un ami. A la fin de la journée, nous avons peu de résultats à montrer pour le temps écoulé. Si nous affrontions directement notre travail, nous le trouverions peut-être beaucoup moins effrayant que nous n'avions craint. Mais ceci nous échappe quand nous choisissons de nous en détourner.

On raconte l'histoire d'un lapin et d'un lion. Le lion prétendait être le Roi des Animaux, mais le lapin, qui en doutait, lui demanda pourquoi. « Je suis le Roi des Animaux » dit le lion, « parce que j'ai des pouvoirs spéciaux ».

Le lapin réfléchit un moment. « Moi aussi, j'ai des pouvoirs spéciaux », dit-il. « Je suis petit, mais j'ai le pouvoir de pénétrer tout ce que je veux. Regarde mes oreilles, comme elles sont pointues. » Et il remua le bout effilé de ses oreilles.

Le lion eut l'air dubitatif. « Regarde, je vais te montrer », dit le lapin. Il sauta soudain sur le lion en criant : « Trop haut ! » Le lion surpris se retourna pour voir où était passé le lapin, mais avant qu'il ait compris ce qui se passait, le lapin courut sous lui. « Trop bas ! » cria le lapin, « mais cette fois j'ai compris ». Lentement le lapin se tourna face au lion et agita le bout de ses oreilles. « Ahhh, maintenant je vois... » commença-t-il, mais avant qu'il ait pu faire un pas, le lion se sauva.

Nous choisissons souvent de fuir devant un problème plutôt que de lui faire face carrément. Mais quand nous optons pour ce choix, nous nous dérobons nos propres chances de croître intérieurement et d'approfondir notre connaissance de soi. Peut-être croyons-nous pouvoir résoudre nos problèmes en leur échappant, mais nos problèmes ne partiront pas. Nous pouvons essayer d'opérer des changements radicaux dans notre façon de vivre : changer de travail, divorcer, avoir de nouveaux amis. En surface, ces changements auront peut-être l'air de résoudre nos problèmes, mais tôt ou tard ces nouveaux modes de vie peuvent devenir aussi décevants que ceux que nous avons quittés.

Fuir nos difficultés est une habitude apprise dans l'enfance. Quand un enfant est confronté à quelque chose qu'il ne veut pas, il possède toutes sortes de manœuvres pour l'éviter, comme pleurer, se cacher, ou se battre. Quand les parents traitent avec désinvolture ce comportement pour eux naturel et typiquement enfantin, ceci encourage une attitude qui peut nous nuire plus tard dans la vie. A moins qu'on nous apprenne à affronter nos problèmes directement et à les résoudre, le processus mental répétitif de l'échappatoire se reproduira à l'école, avec les amis et la famille. Il peut devenir une manière d'agir naturelle, acceptée.

Éviter la responsabilité est un moyen courant d'échapper aux difficultés et aux situations exigeantes. Nous retirons notre énergie, et faisons moins que nous pourrions. Quand des problèmes s'élèvent, nous allons peut-être prétendre que trop de limitations nous sont imposées pour nous laisser être efficaces, ou encore reporter sur d'autres le blâme dû à notre inefficacité. Nous pouvons même réussir à convaincre les autres que nous avons fait de notre mieux. Comme nous savons que nous ne travaillons pas avec toute notre énergie et que les résultats le reflèteront, nous employons toutes sortes de ruses et de manigances pour avoir l'air de travailler au mieux. Si nous n'assumons pas notre travail et que l'échec semble possible, peut-être même essaierons-nous finalement de nous convaincre que nous n'y pouvons vraiment rien.

Malgré un éventuel sentiment de soulagement quand nous parvenons à échapper à nos problèmes, c'est en réalité une échappée très limitée. Nos problèmes continueront à surgir sous d'autres formes, au travail et dans des relations personnelles. Nous courons en rond sur place comme des condamnés au moulin de discipline, repassant toujours devant les mêmes décors, sans jamais arriver nulle part. Afin de briser ce processus mental répétitif de l'échappatoire, nous devons examiner soigneusement nos attitudes et nos sentiments, et adopter une approche plus honnête et plus directe de notre comportement au travail et dans la vie.

Quand nous observons nos processus répétitifs d'échappatoire, nous constatons que presque tout peut nous fournir un moyen d'échapper. Au travail, des interruptions nous donnent maintes occasions d'éviter les choses que nous préférerions ne pas faire. Les activités de loisir peuvent facilement devenir un substitut pour ne pas nous occuper de nos problèmes. Il est possible que parler de nos difficultés avec un ami nous retienne de trouver en nous-mêmes des solutions. En examinant honnêtement nos actes et nos habitudes, nous découvrirons peut-être que même les actes les plus simples peuvent être motivés par un désir d'échapper.

Une fois compris comment nous essayons d'échapper à nos difficultés et à nos peurs, nous avons la possibilité de résoudre de changer ce processus mental répétitif. La prochaine fois que vous rencontrerez un problème et sentirez que vous cherchez un moyen de le contourner, vous pouvez prendre la décision consciente de rediriger votre énergie, de bien étudier votre problème et de trouver une solution. Malgré la résistance que vous ressentirez peut-être d'abord à le faire, les sentiments positifs acquis en faisant face honnêtement au travail et à la vie renforceront votre aptitude à relever directement d'autres défis dans l'avenir, et vous serez encore plus stimulé pour vous développer.

Quand nous évaluons avec honnêteté notre motivation, nos attitudes, nos forces et nos faiblesses, nous commençons à voir dans notre nature un aspect plus profond où nous pouvons puiser une énergie vitale qui donne un vrai sens à notre vie. Quand nous tirerons parti des occasions offertes par le travail d'affronter et surmonter nos difficultés, nous serons capables de braver habilement même les problèmes les plus écrasants, avec calme et compétence.

Notre agitation, ce constant désir d'échapper, diminuera quand nous verrons que l'unique changement efficace que nous pourrons jamais effectuer a lieu en nous-mêmes. Nous découvrons que la joie et la satisfaction sont en nous, si seulement nous prenons le temps de les chercher. Quand nous le faisons, nous apprenons à surmonter la tendance d'échapper aux responsabilités. Nous remplaçons cette tendance par l'ouverture aux autres, par une perspective équilibrée de la vie, et une douce mais persistante aptitude à accomplir tout ce que nous entreprenons. Ceci est le moyen de vivre une vie saine et satisfaisante, de savourer les défis qui développent notre potentiel, augmentant ainsi les bienfaits que nous avons tous à notre disposition.

RÉSISTANCE
ET RESSENTIMENT

Quand nous sommes capables de nous examiner honnêtement et de voir nos forces et nos faiblesses, cette attitude ouverte nous permet de changer et de nous développer continuellement. Nous accueillons les défis du travail et de la vie quotidienne comme des occasions d'en comprendre davantage sur nous-mêmes et les autres. Nous faisons face à nos problèmes lorsqu'ils surviennent, en les acceptant et en tirant d'eux des leçons. Notre honnêteté inspire les autres à toucher la vérité en eux-mêmes, à accroître leurs aptitudes et à communiquer ouvertement les uns avec les autres. Un processus positif de conscience et de croissance, ainsi nourri, fortifie les liens formés par l'intérêt attentif et la coopération.

Il n'est pas toujours aisé de s'observer honnêtement, malgré tout, car peu d'entre nous veulent regarder en face leurs imperfections, surtout quand nous avons des problèmes et ne savons pas comment les résoudre efficacement. Nous essayons inconsciemment de nous protéger de l'échec en écartant notre vision intérieure, en évitant de porter sur nous-mêmes un regard franc. Lorsque nos difficultés viennent au jour au cours de notre travail avec d'autres, nous érigeons aussi des barrières subtiles qui nous isolent des avis et des critiques qui pourraient aider à notre développement.

Quand nous résistons aux tentatives d'aide faites par les autres, nous ne voyons pas que la critique peut être l'expression d'un soutien sincère. Nous fermons les portes de la communication et ne pouvons plus donner ni recevoir l'intérêt attentif qui est essentiel à notre travail et à notre croissance intérieure. Les conseils des autres peuvent nous fournir une nouvelle perspective sur notre situation et nous aider à apprendre davantage sur nous-mêmes. Mais quand nous prenons mal la critique et nous mettons sur la défensive; nos difficultés ne reçoivent pas l'attention nécessaire et nous ratons la chance d'être soutenus pour les résoudre. Comme nous ne regardons pas nos défauts en face, nous ne pouvons pas les changer, et des difficultés similaires surviendront inévitablement dans l'avenir. A ce moment-là, nous ne bénéficierons peut-être plus d'un soutien, car nos réactions négatives devant la critique éloignent ceux qui s'intéressent à nous.

Résistance et ressentiment s'enracinent en nous quand nous nous sentons traités injustement. Lorsqu'on nous demande de faire quelque chose que nous préférerions de pas faire, nous ne mettons pas toute notre énergie au travail. Nous pourrions ouvrir pour nous de nouvelles possibilités en faisant connaître nos objections, et malgré cela, nous réprimons nos sentiments sincères et nous résignons à faire ce qui doit être fait. A mesure que cette résistance augmente, le ressentiment grandit en nous et commence à modeler nos pensées et nos attitudes.

Notre résistance peut être au début si subtile qu'il est possible de ne même pas nous en apercevoir. Mais elle est perceptible dans nos nombreuses erreurs et dans la durée interminable que semble prendre notre travail, sans jamais toucher à sa fin. Nous ne consentons pas à reconnaître ce qui se passe, c'est pourquoi nous trouvons toujours de bons prétextes pour excuser le déroulement de notre travail. La subtilité de notre résistance facilite cette attitude, car les problèmes que nous créons peuvent souvent être pris pour des difficultés inhérentes à notre travail. Si nous y regardions de plus près, cependant, nous verrions que nos erreurs ont été le résultat de notre résistance à une planification réfléchie. Nous comprendrions aussi que ce travail a été long à terminer parce que cette résistance nous a empêché d'apporter toute notre énergie à chaque tâche.

Même si notre travail semble bien se dérouler, un ressentiment s'élabore lentement. Nous avons du mal à nous asseoir pour nous mettre au travail, car nous manquons de motivation pour l'aborder comme un défi à relever. Nous passons beaucoup de temps à nous sentir l'esprit confus ou à partir dans la distraction, et notre énergie s'éparpille, se décentre. Nous commençons à chercher comment éviter notre travail. Nous recherchons d'autres personnes éprouvant du ressentiment et renforçons notre sentiment en discutant de nos problèmes avec elles. Nous savons que notre attitude n'est pas positive, et pourtant nous n'affrontons pas directement notre ressentiment.

Avec l'augmentation progressive de notre ressentiment, nous constatons que n'importe quoi nous fâche. Des ennuis mineurs peuvent nous rendre furieux ; les personnes qui contestent nos points de vue éveillent notre antagonisme. On dirait que chaque moment de la vie a été conçu pour nous faire obstacle. Il est facile d'être emporté par un tempérament coléreux ou une humeur maussade, mais en y regardant mieux, nous verrons que nous avons créé ce monde hostile nous-mêmes, et que le ressentiment et la résistance en sont le foyer.

Quand nous éprouvons du ressentiment, nous perdons facilement de vue même nos ambitions les plus chères. C'est pourquoi nous disons des paroles cruelles à ceux que nous aimons lorsque nous sommes en colère, et c'est pourquoi nous risquons de miner mêmes nos buts

les plus précieux par des éclats émotionnels intempestifs.
Le ressentiment, plus que tout autre élément, peut nous
couper de nos vrais sentiments et nous empêcher de
nous développer davantage.

Comment traiter habilement la résistance et le ressentiment qui sont en nous ? Nous pouvons apprendre à
nous confronter habilement à nos difficultés, si douloureuses soient-elles. Quand nous sentons que nous oppo-
sons une résistance à notre travail, apprenons à nous
arrêter et faire face à la situation. S'observer sous le coup
du ressentiment et de la résistance pourra être très instructif sur la façon dont on perpétue, et même provoque,
ses propres difficultés, et cette compréhension intérieure
peut donner l'élan pour changer.

Éprouver du ressentiment est un signe que nous ne
voulons pas être confrontés à nous-mêmes et à nos difficultés. Il est possible de changer ce processus mental
répétitif en cherchant la vérité dans les conseils qu'on
nous offre et en nous laissant l'accepter. Au lieu de nous
détourner de notre travail, nous pouvons choisir de
rechercher ses possibilités créatrices. Nous pouvons
trouver un aspect de notre travail qui nous intéresse et y
diriger notre énergie, jusqu'à ce que les sentiments positifs que nous inspire ce travail aient remplacé notre ressentiment et notre résistance. Une fois contactés ces sentiments positifs, nous pouvons les fortifier et les entretenir.
Ainsi nous transformons une situation négative en une
source positive de compréhension intérieure et de clarté.

Nous pouvons aussi apprendre à répondre ouvertement à la résistance rencontrée chez les autres. Nous
constatons qu'en résistant et en combattant la résistance
des autres, nous encourageons cette énergie négative à
se développer et à bloquer les possibilités de bien travailler ensemble. Au lieu de se quereller quand ce genre
de situation arrive, nous avons la possibilité de regarder le
côté positif de la personne qui oppose une résistance.

Nous pouvons nous laisser ressentir de la compassion pour elle en nous remémorant les fois où nous avons provoqué des discussions similaires et ce que nous avons éprouvé alors.

Chacun présente une voie par laquelle on peut l'approcher, quelque chose qu'il aime et qui l'intéresse. Si nous arrivons à trouver cette voie, nous pouvons commencer à communiquer. Découvrir ce qui plaît à quelqu'un et savoir le partager ensemble peut établir une atmosphère ouverte et positive qui mènera à une confiance et un respect mutuels. Une fois que nous avons établi une ferme base de communication, nous pouvons encourager les autres à s'exprimer plus sincèrement, et à mettre une meilleure volonté dans leur travail et leurs relations.

C'est tellement plus satisfaisant d'apprendre les uns des autres, de développer sa force, de soutenir la croissance de qualités positives telles que l'assiduité à se consacrer à ce que l'on fait, l'enthousiasme et la loyauté. Quand nous développons ces qualités et encourageons leur développement chez les autres, nous avons bien plus d'énergie pour traiter les problèmes survenant dans notre travail ; quand nous sommes capables de lâcher notre résistance, l'intérêt et la motivation augmentent pour tous. Nous commençons à considérer notre travail comme un moyen de nous développer et de croître intérieurement ; avec cette attitude il nous est même plus facile d'avoir des rapports ouverts avec les autres. Nous créons ainsi un cycle positif. L'atmosphère de travail devient à la fois plus légère et plus satisfaisante. Lorsque des difficultés s'élèvent, nous ne cherchons plus d'excuses, nous n'essayons plus de blâmer les autres ; nous assumons la responsabilité de la situation et agissons pour la résoudre. A mesure que nous consentons plus volontiers à nous entraider dans les difficultés, la coopération se développe naturellement, et le travail se déroule sans heurts.

Un exercice simple, que vous pouvez pratiquer chaque matin avant de vous mettre au travail, vous aidera à aborder tout ce que vous faites avec ouverture et bonne volonté. Asseyez-vous confortablement le dos droit, et prenez environ un quart d'heure pour vous détendre aussi complètement que possible. Laissez chaque partie de votre corps se détendre, jusqu'à ce que vous ressentiez une sensation d'espace entièrement ouvert. Dans cet espace, organisez vos priorités de la journée. Ayez une attitude totalement positive envers vous-même et ce que vous avez à faire. Pendant la journée, soyez ouvert à tout ce qui peut surgir, entretenez dans tous vos actes la qualité de détente et d'espace que vous avez développée.

Quand nous aurons le courage de lâcher ressentiment et résistance, et de faire de vrais efforts pour développer une attitude ouverte, nous grandirons intérieurement, ainsi que nos amis et ceux avec qui nous travaillons. Quand nous sommes ouverts et lucides, disposés à évaluer honnêtement notre comportement, notre travail et notre vie y gagnent en même temps plus de fluidité et de joie.

LÂCHER PRISE

Nous avons tous déjà tenté de nous rappeler un nom ou la réponse à une question. Nous savions la réponse, et pourtant malgré tous nos efforts de concentration, impossible de la retrouver. Finalement, quand nous abandonnions et passions à autre chose, elle nous revenait spontanément. En essayant trop fort, nous nous empêchions en fait de trouver la réponse ; mais en lâchant le problème, en nous détendant et laissant notre énergie de nouveau circuler, nous avons permis à la réponse de venir à nous.

Ce lâcher prise peut nous apprendre à vivre et travailler avec une aise fluide, une approche en douceur des situations même les plus complexes. Quand nous lâchons les problèmes qui brident notre esprit et notre corps, nous libérons de l'énergie qui peut circuler dans des directions nouvelles et positives. Lâcher prise est libérateur ; cela fait entrer dans toutes nos actions le jeu de l'énergie créatrice, nous ouvrant à de nouvelles possibilités de pensée et d'action, de nouvelles façons d'être.

Dans notre culture, la tendance courante est de s'accrocher aux choses, c'est pourquoi lâcher prise peut tout d'abord sembler une réponse inefficace à un problème. L'expression « jusqu'à la lie » exprime la valeur que nous accordons au fait de s'accrocher à ses idées et ses émotions. Il se peut que nous tentions d'exercer un contrôle sur ce que nous vivons en maintenant un point de vue logique. Depuis l'enfance, on nous enseigne ce type de contrôle, et en l'exerçant, nous apprenons en fait à réprimer ou retenir nos idées et nos sentiments. Nous finissons par penser que « lâcher prise » signifie céder, ou en quelque sorte perdre le contrôle de la situation.

Parfois, pour maintenir notre contrôle et protéger notre image personnelle, ou convaincre les autres que nous avons raison, nous choisissons peut-être de nous accrocher à nos points de vue même quand nous les savons erronés. On peut croire que s'accrocher est signe de persévérance et de force, mais en fait cette attitude renforce une rigidité qui rétrécit notre perspective et nous empêche de voir une situation dans sa réalité.

Qu'est-ce qui se cache derrière cette rigidité, ce besoin de contrôle ? Quand nous réagissons aux difficultés de façon tendue et inflexible, bien que nous ne le réalisions pas forcément, en fait nous nous accrochons à la peur. Nous contenons nos sentiments par peur de nous exposer, ainsi que nos convictions, aux réactions des autres. Un manque de confiance sous-jacent nous fait renfermer nombre de nos sentiments et convictions sincères.

Quand nous lâchons nos peurs, et aussi les émotions et les points de vue fixes issus de la peur, c'est là que nous commençons à gagner un certain contrôle sur notre vie. Résoudre nos problèmes devient plus facile ; notre travail se fait plus léger et plus agréable, nos relations plus satisfaisantes. La diminution progressive de nos tensions intérieures nous rend davantage capables de ressentir nos sentiments avec lucidité. Nos émotions perdent leur empire sur nous, car elles ne peuvent survivre que si nous leur insufflons de l'énergie. Nous acquérons une connaissance claire de chaque situation, ce qui nous donne une force et une confiance réelles. A mesure que nos sentiments et nos perceptions coulent plus naturellement, nous pouvons répondre souplement, et avec ouverture de cœur, aux besoins de chaque situation nouvelle. Quand nous apprenons à lâcher prise, nous permettons à notre forme personnelle de changer.

Quand nous lâchons vraiment prise, nous libérons notre énergie créatrice naturelle, qui va se répandre dans chaque expérience. Nous pouvons prendre l'énergie que nous donnons normalement à nos émotions et nos points de vue fixes, et l'utiliser pour trouver à nos problèmes des solutions plus saines et plus productives. A mesure que nous nous adaptons volontiers aux exigences de chaque situation, et aux besoins de ceux qui nous entourent, chaque expérience devient une occasion d'approfondir notre appréciation de nous-mêmes et des autres.

Quand nous réalisons la valeur du lâcher prise, nous pouvons commencer à développer cette qualité dans notre vie quotidienne. Chaque fois que vous vous trouvez en train de vous accrocher à une position ou une émotion, incapable de lâcher prise, prenez quelques minutes pour vous détendre et laissez votre respiration devenir douce et régulière. Puis choisissez une tâche quelconque et entrez-y doucement, en oubliant tout le reste. Développez une qualité de concentration qui n'est pas forcée, mais très douce et légère. En vous concentrant ainsi pendant un moment, vous pouvez commencer à alléger vos processus répétitifs et à disperser les énergies qui bloquent votre bien-être. Essayez de ne pas penser à vos problèmes, investissez simplement toute votre énergie dans la tâche que vous avez choisie, et ne la quittez pas jusqu'à ce qu'elle soit terminée.

Chaque fois que vous sentez un pincement de culpabilité ou d'inquiétude vous entraîner une fois de plus dans un état malsain, ramenez doucement votre attention sur l'activité en cours, en faisant un effort pour équilibrer ces émotions avec des sentiments positifs. Laissez simplement votre esprit contacter l'énergie positive que vous mettez dans votre travail, et lâchez toute tendance négative qui pourrait s'élever. Vous découvrirez qu'une nouvelle énergie devient disponible pour vous aider à travailler avec clarté et sans obstacles.

Tout moment fournit des occasions neuves d'apprendre et de se développer ; nous n'avons pas besoin de laisser nos émotions et réactions mentales habituelles nous resteindre et nous limiter. Nous pouvons les utiliser comme des épices, pour rendre notre vie riche et savoureuse. Chaque situation ennuyeuse est une occasion pour pratiquer le lâcher prise de notre négativité. Chaque fois que nous lâchons prise et nous permettons de changer, nous pouvons tirer profit de l'abondante énergie présente en nous et nous ouvrir à une plus ample croissance intérieure. Lâcher prise ainsi crée un vaste potentiel de vie saine, car les moyens que nous développons pour traiter les difficultés sont en même temps les moyens grâce auxquels nous savourons la vie et elle nous emplit de vigueur joyeuse.

Quand nous sommes souples, capables de nous adapter aux exigences des situations même les plus difficiles, nous devenons efficaces dans tout ce que nous faisons. Constamment, nous apprenons et changeons. Au lieu de poursuivre péniblement nos buts, nous apportons à chaque acte une qualité légère, fluide, qui nous permet de réaliser nos buts aisément et avec plaisir. En découvrant progressivement que nous sommes capables d'accomplir tout ce que nous entreprenons, nous commençons à nous réveiller, à voir davantage les possibilités de la vie. Nous devenons notre propre instructeur, aptes à nous diriger dans une interaction fluide avec notre environnement et avec le monde. A mesure que s'élargit notre ouverture à la nature de l'existence, nous sommes capables de partager avec les autres, et de participer à des actions qui sont bénéfiques à tous.

SUPERFICIALITÉ

Depuis la tendre enfance, on nous apprend à parler et agir d'une façon approuvée par les autres. Enfants, nous sommes naturellement ouverts, mais nous sommes aussi dépendants, et apprenons en suivant l'exemple donné par les parents, les amis et nos semblables. Emboîter le même chemin nous procure une certaine sécurité ; notre vie semble se passer plus en douceur quand nous faisons comme les autres. La plupart d'entre nous apprenons bientôt à baser nos perceptions et nos actes sur ce qu'on attend de nous, plutôt que sur ce qui a pour nous du sens, et nous pouvons devenir si dépendants des critères des autres que nous ne savons plus quels sont nos véritables sentiments.

Quand nous nous en remettons à des perceptions et des jugements superficiels, il est difficile d'être attentif à la vérité des sentiments sous-jacents recouverts par l'affectation de manières sympathiques. Nous estimerons peut-être affectueuse et chaleureuse toute personne qui parle agréablement et semble d'accord avec nos idées — jusqu'à ce qu'elle se détourne de nous dans les difficultés, nous laissant sans soutien et en pleine confusion. Quand nous laissons passer ce genre de comportement sans nous y confronter honnêtement, nous renforçons en

nous et en les autres une habitude de superficialité.
Comme beaucoup de personnes autour de nous se
conduisent de cette façon, les processus répétitifs de
superficialité sont rarement mis en question.

L'habitude de superficialité est réconfortante, rassu-
rante même, car elle signifie que nous avons peu souvent
à regarder nos propres défauts. Mais en cultivant des airs
affables, de pieux mensonges et tous les petits jeux de la
superficialité, nous limitons notre potentiel de développer
les qualités d'une conduite honnête. Notre vie manque de
profondeur, car nous nous sommes coupés de la vérité de
notre être intérieur.

On a dit qu'une personne ordinaire ment plus de deux
cents fois par jour. Les mensonges innocents pour sauver
la face ou épagner les sentiments des autres sont encouragés à l'école, à la maison, au travail. La plupart de ces
mensonges sont les réponses superficielles que les autres
s'attendent à entendre ; quand on nous demande « Comment ça va ? », nous disons que cela va très bien, mais en
réalité ça ne va pas. Et encore les adultes, par exemple,
enseignent aux enfants que même les mensonges « pas
si innocents » sont acceptables. Un mensonge mène à un
autre, et même quand une réponse sincère est souhaitée,
il arrive que nous évitions de la donner ; de nombreux sentiments s'élèvent en nous, cependant nous les cachons.

Nous sommes amicaux et coopératifs tant que nos
relations avec les autres restent à un niveau superficiel ;
si peu d'exigences nous sont imposées, nous sommes à
l'aise. Mais lorsqu'on nous pousse un peu au-delà de nos
limites ordinaires, notre attitude amicale disparaît
bientôt. Même alors, nous nous arrangeons pour maintenir un air affable, cachant tout ressentiment éventuel.
Mais nous avons beau agir comme si tout allait bien,
l'énervement et l'insatisfaction s'accumulent progressivement en nous.

Quelle valeur cela a-t-il de vivre ainsi ? Quand nous

vivons superficiellement, nos aptitudes et nos sentiments restent enterrés sous ces jeux subtils et ces manipulations, sous le poids du mécontentement qui devient partie intégrante de notre vie. Nous sommes incapables de ressentir très profondément le plaisir ou la joie, souvent nos sentiments les plus satisfaisants sont teintés de culpabilité ou d'inquiétude. Plus nous réprimons notre nature intérieure, plus une pression se développe en nous, bloquant le cours fluide de nos actes et de nos relations avec les autres. Cette répression peut même nous mener à une conduite extrême qui est un exutoire à toutes les énergies si étroitement emprisonnées en nous.

Quand nous faisons passer dans notre travail nos valeurs superficielles, nous devenons peut-être habiles à créer l'impression que tout va bien. Quand nous n'avons pas réussi à respecter le délai d'un projet, nous allons présenter cent raisons : les matériaux n'ont pas été livrés à temps, les renseignements n'étaient pas disponibles, quelqu'un a été malade plusieurs jours... Nos arguments peuvent être suffisamment plausibles. A ces moments, même la pensée d'être honnête semble dangereuse, car une réponse honnête révèlerait notre indifférence ou notre mauvaise volonté à faire ce qu'exige le travail.

Nous pouvons donner l'impression d'être affairé, mais en fait mettre le moins possible de concentration et d'énergie dans notre travail. Parce que nous agissons et travaillons à un niveau superficiel, souvent nous ne nous rappelons pas les plus simples détails de ce que nous avons fait la semaine passée, ou même hier. Nous trouvons difficile de nous remémorer ce que nous avons accompli, ou d'indiquer exactement vers quoi nous nous dirigeons.

La superficialité, par sa nature, obscurcit notre perception de la réalité, nous piège dans une manière de vivre qui rend creuses et décevantes même nos activités de loisir. Comme nous trouvons très peu de plénitude en nous-mêmes, il se peut que nous allions chercher le bonheur et la satisfaction dans les biens matériels et la réussite sociale. Ces éléments pourraient enrichir notre expérience, mais parce que nous sommes incapables de les apprécier vraiment, nous ne pouvons pas réellement apprendre à estimer leur valeur.

Si quelqu'un nous fait remarquer la superficialité de notre vie, nous nierons peut-être ; nous ne la verrons peut-être même pas. Même si nous sommes intérieurement d'accord, il est possible que nous ne sachions pas comment répondre avec honnêteté. Nous semblons ne pas vouloir regarder la réalité de plus près, et pouvons aller jusqu'à la méfiance envers ceux qui font un effort pour vivre avec intégrité et sincérité. Au lieu d'encourager l'honnêteté, nous n'accepterons peut-être pas cette qualité chez d'autres. Ainsi, ceux qui essaient de mener une vie droite doivent porter un fardeau supplémentaire qui leur rend difficile de se développer intérieurement ou même de survivre.

Mais la vérité vaut la peine de faire un effort. L'honnêteté est comme l'or ; sa valeur est inestimable. Quand nous sommes honnêtes avec nous-mêmes et les autres, la lumière de la vérité éclaire tous nos actes et nos perceptions. A mesure que nous ouvrons nos sens à la vraie qualité de la vie, nous avons la possibilité de développer notre nature intérieure, et notre connaissance de soi conduit à une perspective nouvelle et ouverte. Même dans des circonstances difficiles, nous demeurons contents et stables.

Nous menons des vies superficielles uniquement parce que nous choisissons d'ignorer les messages de notre cœur et de notre esprit. Nous pouvons tout aussi bien choisir d'écouter la prochaine fois que notre cœur nous dira que nous avons menti à un ami, ou la prochaine fois que nous nous sentirons coupables de nous être cherché des excuses. Il n'y a pas de secret dans la découverte de la véritable qualité de notre nature intérieure, car notre esprit et nos sens sont impatients de nous informer sur nous-mêmes. Tout ce que nous avons besoin de faire est d'écouter.

Nous pouvons porter un défi à la superficialité que nous mettons dans le travail et nos autres activités rien qu'en développant notre conscience. Quand nous arrivons à considérer le travail comme une source de croissance et de créativité, nous trouvons une énergie fluide qui nous porte jusqu'au but choisi, quel qu'il soit. Libérés de l'inquiétude et du sentiment de culpabilité toujours présents lorsque nous ne réussissons pas à réaliser nos buts, nous touchons une source d'énergie et de motivation plus vaste que nous n'aurions cru possible. La vie devient riche et pleine de vitalité.

En utilisant les moyens habiles pour enrichir notre vie et apporter dans tout ce que nous faisons notre potentiel créateur, nous pouvons pénétrer jusqu'au cœur de notre vraie nature. Nous obtenons alors une compréhension du but fondamental de la vie, et nous apprécions la joie de faire bon usage de notre temps et de notre énergie, si précieux.

MANIPULATION

Tout au long de l'histoire universelle, nous avons cherché les moyens de vivre en harmonie les uns avec les autres. Nous avons développé des critères idéaux de conduite qui nous pressent de chérir les qualités telles que l'amour, l'honnêteté, l'absence d'égoïsme et la compassion envers les autres. Quand nous sommes concernés par le bien de tous, nous développons naturellement ces qualités en nous, car elles contribuent à l'équilibre et à l'harmonie dans le monde. Mais quand notre motivation est égoïste, nous nous retrouvons en train de penser et d'agir de diverses façons subtilement destructrices pour nous et pour les autres.

Un proverbe tibétain dit : « Le pinceau de l'artiste peut dessiner toute image. » De même que l'artiste peut utiliser le pinceau comme il souhaite, sans se référer à des règles ou des directives, nous pouvons aussi utiliser nos actes, nos sentiments ou nos convictions pour atteindre tout objectif, sans égards pour la vérité ou la réalité de la situation. Quand nous écartons le respect de la nature humaine afin de réaliser un but égoïste, et sommes prêts à manipuler les autres dans notre propre intérêt, nous choisissons de contribuer à un processus répétitif qui peut affaiblir et supplanter nos traditions et valeurs les plus vitales.

La manipulation a quelque chose de subtil, omni-pénétrant ; à mesure que nous la pratiquons individuelle-ment, elle peut tranquillement envahir notre société tout entière. On la remarque à tous les niveaux de la vie, depuis l'enfant qui fait s'opposer ses parents l'un à l'autre, jusqu'aux gouvernements qui font bouger les nations et les gens, comme des joueurs avec les pièces d'un échiquier, afin d'augmenter leur propre pouvoir et leurs richesses personnelles. Le problème est d'une étonnante complexité, car il est la création de milliers d'individus choisissant chacun d'employer la manipulation à petite échelle pour atteindre leurs propres buts. Que nous mani-pulions les autres, ou que nous nous laissions manipuler, chacun de nous contribue à la lente désagrégation de la qualité et de la valeur de la vie.

Nous apprenons progressivement à assimiler la mani-pulation avec le succès, et ce faisant les qualités positives telles que l'honnêteté commencent à sembler naïves. Graduellement, nous abandonnons les valeurs de la vérité et de l'intégrité, et toute la qualité de la vie se met à décliner. Notre vie peut avoir l'air de se dérouler sans difficulté ; il se peut que notre travail soit bien planifié et coordonné, et que nous fassions des progrès effectifs. Mais sous la surface se cache quelque chose de sca-breux, presque furtif, né du savoir que des valeurs humaines sont déniées.

La manipulation joue sur nos faiblesses, touchant nos peurs les plus profondes et nos souhaits les plus forts, tirant sa puissance de nos désirs égoïstes. Les autres nous convainquent que nous avons des « besoins » abso-lument cruciaux pour notre bien-être ou notre bonheur, et nous devenons avides d'acquérir certains produits ou de vivre certaines croyances. Nous avons l'impression de bien nous traiter, alors qu'en fait, nous nous vendons à l'influence des autres.

En invoquant l'autorité au nom d'un idéal, ceux qui sont doués pour la manipulation peuvent susciter de fortes émotions, nous amenant ainsi à des actes qui ne servent pas nos intérêts les meilleurs. Dans ces situations, si nous nous arrêtions pour y regarder de plus près, nous découvririons peut-être que nous ne sommes pas du tout d'accord avec ce qui se passe. Mais s'avouer qu'on est si aisément influencé n'est pas facile, surtout si nous avons été conduits à croire que nous poursuivions un but qui en valait la peine. Nous ne voulons pas admettre que nous avons été manipulés, parce que souvent ce que l'on nous amène adroitement à faire nous plaît, et nous pouvons penser que nous avons de la chance d'être engagé dans un travail qui, croyons-nous, a de la valeur. Nous perdons de vue la réalité et abandonnons la responsabilité de penser clairement par nous-mêmes ; car lorsque nous leur permettons de nous manipuler et d'exercer sur nous leur domination, nous leur permettons également de penser pour nous.

Même si nous reconnaissons que nous sommes manipulés, il est bien plus facile de rester confortablement en sécurité ainsi, que d'affronter honnêtement la situation. Nous nous accrochons à notre sécurité, évitant risques et conflits, et avant d'avoir eu le temps de nous en apercevoir, nous sommes pris au piège par nos peurs et nos désirs.

Nous-mêmes, nous trouvons facile de manipuler des situations. Nous recherchons peut-être ceux qui sont moins agressifs que nous, pour exercer sur eux notre domination et les manipuler, utilisant leur passivité pour arriver à nos fins. Nous pouvons aussi affecter d'être désemparés afin d'amener adroitement les autres à exécuter des tâches que nous n'avons pas envie de faire. Parfois, nous sommes aimables avec les autres uniquement pour obtenir ce que nous voulons d'eux, ou bien nous jouons de notre charme pour les gagner à nos idées.

La manipulation ressemble beaucoup au mensonge : une fois que nous avons commencé, nous tombons dans des processus répétitifs de tromperie auxquels il est presque impossible d'échapper. La manipulation est une épée à double tranchant, car nous ne pouvons pas manipuler les autres sans compromettre nos propres convictions et nos sentiments. Exposée à notre improbité et à celle des autres, notre nature se recouvre progressivement de couches de duperie. Notre énergie ne peut circuler librement, et nos perceptions demeurent étroites, restreintes. En essayant de gouverner le résultat des événements dans notre vie, nous établissons certaines limitations à notre comportement, et aussi à celui des autres. Nous pensons que nous devons nous garder d'être honnêtes, car révéler nos sentiments les plus intimes mettrait à découvert notre motivation égoïste. Nous calculons nos interactions avec les autres, en maintenant des relations artificielles destinées à protéger notre image personnelle.

Nous pouvons même ne pas avoir conscience qu'en agissant ainsi, nous rétrécissons les voies de communication et inhibons la liberté personnelle. En surface, nous avons peut-être l'air sûrs de nous, mais au fin fond nos pensées, ainsi que nos actions, sont empreintes de confusion. Car en encourageant des réponses artificielles dans nos relations, nous avons perdu contact avec notre bien le plus précieux, notre nature humaine ouverte et réceptive.

Quand nous sommes tentés d'essayer de manipuler une situation, il est particulièrement important de nous rappeler que la manipulation ne nous donnera pas un vrai contrôle des événements. Beaucoup de ceux qui s'appuient sur ces techniques se croient eux-mêmes à l'abri de toute conséquence. Or la manipulation, dans sa nature, n'est pas partiale. Comme le bien-être de tous n'entre pas dans le but de la manipulation, nous ne pouvons pas contrôler les effets qu'elle aura finalement. Si nous avons trompé les autres pour atteindre un but égoïste, nous nous trouverons peut-être un jour trompés à notre tour. En fin de compte, au lieu de régir les conséquences, chacun de nous devient la victime de ses motifs peu honnêtes, sujet aux blessures et aux déceptions que nous avons infligées aux autres.

Même avec une certaine conscience des effets à longue portée de la manipulation, il est difficile de faire face à la vérité de la situation, en particulier si nos habitudes quotidiennes sont fortement basées sur la manipulation. Nous avons donc besoin d'observer intelligemment et soigneusement comment nous travaillons, comment nous pensons, et comment nous travaillons avec les autres. Actuellement nous sommes peut-être honnêtes, dans une certaine mesure, cependant quand nous regarderons plus en profondeur, nous verrons qu'il y a de nombreux niveaux de probité, et à chacun correspond un niveau de manipulation subtile. Quand nous portons sur nous-mêmes un regard lucide, nous pouvons pénétrer jusqu'à la vérité et devenir conscients de la qualité de notre motivation.

Il ne semble pas réaliste d'affronter la manipulation au niveau de la société, dans son ensemble, mais nous pouvons changer individuellement. Quand nous assumons nos perceptions, exprimant honnêtement nos préoccupations et nos sentiments, nous stimulons le progrès et le développement dans tous les aspects de notre vie. A mesure qu'augmente notre capacité d'honnêteté, nos processus de comportement sain peuvent aussi influencer les autres à être plus honnêtes dans leur propre vie.

Être honnête peut mener à la clarté de pensée, à la force de conviction et à une vue exacte de la réalité. Quand nous sommes honnêtes, nous sommes libres de nous exprimer naturellement, de répondre adéquatement aux besoins d'une situation. Mais apprendre cette honnêteté n'est pas chose facile, car cela peut fréquemment aboutir à l'affrontement, à la critique, au ressentiment.

Quand nous regardons de près notre motivation, nous

voyons que souvent nous essayons de manipuler les autres afin d'éviter une réponse négative. Par exemple, quand nous grondons un enfant qui fait quelque chose de dangereux, ou quand nous faisons remarquer les erreurs d'une personne, on nous trouve dur, sans gentillesse, et les autres peuvent éprouver du ressentiment à notre égard, quel que soit le soin pris pour nous exprimer. Aussi nous choisissons souvent de traiter ces situations avec plus de « gentillesse ». Nous soudoyons l'enfant avec des bonbons pour qu'il soit sage, ou nous ignorons les erreurs d'un ami pour préserver les bons rapports de cette amitié. Afin de maintenir des relations aisées, nous acquiesçons tranquillement même à ces choses que nous savons erronées.

Être honnête dans les moments où nous avons habituellement recours à la manipulation n'est pas facile. Nous pouvons même nous demander si être honnête est une démarche intelligente, puisque révéler nos vraies perceptions nous expose à être rejetés par les autres, et peut même rendre notre travail plus difficile. La vérité a quelque chose d'ouvert, clair, nu, à quoi nous n'avons pas l'habitude d'être directement confrontés et qui peut être dérangeant, pour nous et ceux qui nous entourent. Mais bien que nous puissions nous trouver dépouillés de quelques-uns de nos outils de travail si nous abandonnons la manipulation, nous découvrirons bientôt des outils beaucoup plus efficaces : probité, clarté de communication, confiance en nos capacités, force dans nos idées et nos convictions.

La prochaine fois qu'une interaction avec quelqu'un se présentera dans votre travail, observez la nature de vos motifs ; examinez si vous êtes en train de manipuler la situation. Tout en parlant, remarquez vos pensées, vos gestes, vos paroles. Si vous n'êtes pas certain de manipuler ou non, testez votre réaction en retour. Même si ce que vous entendez ne vous plaît pas, écoutez attentivement, sans vous défendre. En continuant à observer vos interactions avec les autres, à développer l'honnêteté et l'intérêt attentif dans vos contacts, vous développerez sur vos propres motifs et ceux des autres une clarté et un discernement qui apporteront force et stabilité à votre vie.

Lorsque nous sommes honnêtes, ouverts, et en contact avec nos sentiments, nous gagnons une compréhension plus claire de nous-mêmes, ainsi que de ce qui se passe dans le monde et dans notre vie. Cette compréhension rehausse l'intégrité de notre vie et nous permet de nous exprimer librement. Nous constatons que nous dominons les situations, non en résultat de nos manœuvres, mais en conséquence naturelle de notre activité intègre et responsable.

En répondant de notre honnêteté, nous étendons aussi aux autres l'occasion et l'espace pour être eux-mêmes honnêtes, et cette attitude saine commence à se répandre de la même manière que se sont répandus les processus répétitifs de manipulation. Quand nous faisons entrer dans notre vie les qualités qui approfondissent notre compréhension intérieure, nous commençons à les voir se refléter dans nos collègues, dans notre famille, même dans notre société. Notre but immédiat est d'améliorer notre propre expérience, mais tout en développant réellement la probité et l'intérêt attentif, nous profitons aux autres aussi. Notre humeur devient plus légère ; notre tolérance pour les vues des autres augmente ; nous rayonnons une énergie saine qui fait se sentir à l'aise et détendus ceux qui nous entourent. Ainsi, des attitudes positives s'élargissent en cercles de plus en plus vastes et élèvent la qualité de vie partout où elles sont ressenties.

CONCURRENCE

La concurrence se trouve dans presque tous les aspects de la vie. C'est le fondement de la plupart de nos sports et nos jeux ; elle joue aussi un grand rôle dans les affaires et dans notre vie personnelle. Nous nous occupons continuellement de voir qui est le plus rapide, le plus malin, le plus riche, le meilleur. Parmi les érudits, les philosophes, les dirigeants religieux, se poursuit un effort constant d'être plus correct, plus original, plus fervent que quiconque. Même les amants cherchent à se surpasser mutuellement dans leurs talents amoureux.

Quand nous rivalisons sans penser à « vaincre », en estimant impartialement les efforts de tous, la concurrence peut être une force très positive de motivation. Elle peut nous apprendre à apprécier plus profondément nos capacités, et nous mener à apprécier et respecter davantage les capacités des autres aussi. Malheureusement, la concurrence étant le chemin du succès et de la puissance dans les affaires, la politique, l'éducation, et même dans les relations sociales, elle est habituellement utilisée à des fins égoïstes. Au lieu de concourir *avec* les autres, nous concourons *contre* eux. Quand la concurrence devient combat, elle perd son pouvoir d'inspirer, elle devient une forme de pression qui crée la disharmonie dans notre esprit et dans nos sens, perturbant l'équilibre naturel de notre vie.

En rivalisant les uns contre les autres pour réussir, nous élargissons la distance entre nous et les autres. Nous devenons tellement fixés sur notre quête de réussite qu'il est alors facile d'ignorer les sentiments et les espoirs de ceux qui nous entourent. Nous sommes disposés à manipuler les autres pour prouver notre supériorité sur eux, et bientôt même les aspirations et les efforts de nos amis se trouvent sapés. L'inimitié et la suspicion qui résultent de cette forme de concurrence peuvent créer entre nous et les autres des barrières qu'il n'est pas en notre capacité de surmonter.

L'impulsion pressante de gagner nous canalise sur les traits négatifs de ceux qui nous entourent plutôt que sur leurs qualités, pour avoir l'air de mieux réussir ; nous apprenons à faire ressortir les imperfections des autres afin de paraître supérieurs. Mais quel est le prix de ce mode répétitif de comportement ? A la longue, cela nous profite-t-il de traiter ainsi les autres ? Leur sommes-nous réellement supérieurs, ou bien notre position est-elle mal fondée ? Nous rions peut-être des autres, mais si nous posions un regard honnête sur nous-mêmes, de quoi pourrions-nous rire ?

Quand nous perdons contact avec les valeurs humaines, nous sommes coupés des sentiments satisfaisants qui viennent de partager. Sous l'emprise de la fascination et de l'excitation suscitées par la victoire, nous commençons à dépendre de la griserie du moment pour nous satisfaire, risquant même parfois notre vie dans des actes dangereux afin d'atteindre ces moments.

A mesure que notre désir de gagner se fait plus fort, la concurrence devient en elle-même une fin et remplace l'action pleine de sens. Nous recherchons des domaines d'activités plus spécialisés où nous serons sûrs de gagner, créant ainsi des terrains de rivalités encore plus étroites. Nous perdons l'occasion de partager avec les autres, et nous n'avons plus d'intérêt pour les choses extérieures à notre sphère. L'énergie que nous pourrions employer à développer une attitude saine dans notre travail est au contraire dirigée dans des jalousies mesquines, nous devenons de plus en plus étrangers à l'ouverture et à la coopération, aux vraies sources de satisfaction humaine. Tant que nous sommes pris dans le processus répétitif de la concurrence, ni notre travail ni nos relations ne pourront être réellement satisfaisants.

La concurrence peut être si enracinée dans notre attitude que nous la prenons pour une caractéristique humaine naturelle ; mais en fait, c'est à la maison, à l'école, au travail, que nous l'apprenons. Nous l'enseignons à nos enfants, les poussant à rivaliser parce que nous voulons qu'ils réussissent mieux que nous. Cette pression axée sur la réussite, cependant, ne leur enseigne souvent qu'à craindre l'échec — crainte qui sape progressivement leur confiance en eux-mêmes et en réalité les empêche de réussir. Peut-être poussons-nous nos enfants à la concurrence parce que nous croyons qu'elle stimulera leur motivation. Mais la motivation qui met l'accent seulement sur le succès ne peut encourager le développement bien intégré de toutes leurs aptitudes.

Afin de réussir, nous nous concentrons uniquement sur certains de nos talents ; nous limitons ainsi notre potentiel, plus vaste. Aussi longtemps que nous rencontrons le succès, tout va bien ; mais si nous échouons, la déception peut briser notre confiance et affecter fortement le reste de notre vie. Tant que l'esprit de concurrence est ce qui nous fait exploiter nos capacités, la réussite authentique devient bloquée par la frustration et l'échec.

Si nous mettions l'accent sur la coopération au lieu de la concurrence, nous nous sentirions naturellement plus en sécurité, plus confiants dans nos capacités, et nous éprouverions moins le besoin de gagner aux dépens des autres. Mais nous nous accrochons aux attitudes qui nous

sont familières ; nous pratiquons la concurrence en la prenant pour l'usage admis, quelles que soient les conséquences possibles.

Quand nous examinons le rôle de la concurrence
dans notre travail et son effet sur notre vie, nous pouvons
voir comment, souvent, nos craintes et nos déceptions
sont ce qui nous aiguillonne à la concurrence. Il est utile
de prendre le temps de regarder en arrière, dans votre
passé, en considérant les différentes formes de concurrence dans lesquelles vous êtes entré. Dans quelle
mesure étiez-vous contraint de chercher à gagner ? Aviez-
vous peur d'échouer ? Rappelez-vous ce que vous avez
ressenti quand vous avez gagné, et quand vous avez
perdu. Quand vous avez gagné, vous êtes-vous soucié de
ceux qui avaient perdu ? En constatant combien la
concurrence vous a affecté, vous pouvez comprendre que
d'autres ont éprouvé les mêmes sentiments. Vous verrez
que la concurrence fait habituellement souffrir tous ceux
qui y sont impliqués, et vous pourrez utiliser cette compréhension intérieure pour développer plus de compassion
envers les autres et vous-même.

Il n'est pas facile, cependant, d'abandonner l'auréole
du succès et la gratification de l'ego, même si nous les
savons superficielles et éphémères. Mais si nous nous
intéressons sincèrement à notre développement intérieur
et à la recherche de moyens pour améliorer notre vie,
alors nous devons appliquer cet intérêt à toutes nos
relations : collègues, famille, amis. A mesure que nous
apprenons à traiter les autres avec plus d'attention et à
être honnêtes avec nous-mêmes, la concurrence visant
à gagner perd son emprise sur nous. Elle disparaît devant
notre force croissante, vaincue par la compréhension
humaine et le partage. En apprenant davantage sur la
vraie nature de l'humanité, nous nous rapprochons de la
source des valeurs humaines authentiques. Notre entou-
rage répond à notre force et à nos connaissances avec
ouverture et appréciation, et au lieu de nous faire concur-

rence pour gagner, nous pouvons aider mutuellement notre développement intérieur.

Nous pouvons jouir de nos succès dans la vie, et trouver de la satisfaction dans une concurrence saine, si nous équilibrons le plaisir du succès avec une bonne volonté à tirer aussi des leçons de nos échecs et à les apprécier. Ceci signifie que lorsque nous faisons de notre mieux, même si nous échouons, nous pouvons être reconnaissants d'avoir fait cette expérience : elle nous révèle les points à améliorer dans nos capacités. Au lieu d'aborder une circonstance compétitive comme quelque chose d'extrêmement important, il est possible de la considérer avec une certaine humilité et lui permettre de nous enseigner à mieux nous connaître. Nous n'avons plus à craindre l'échec, car nous pouvons voir que le résultat le pire n'est pas l'échec, mais la déception que nous ressentons à propos de nous-mêmes.

Quand nous allégeons la pression causée par la déception et la crainte de l'échec, le travail et la vie deviennent riches et satisfaisants. Il n'y a aucune raison de laisser une telle pression modeler notre vie ; nous pouvons plutôt apprendre à vivre et travailler de façon coopérative. Notre travail se fera plus facilement, aura plus de signification et nous récompensera. Notre sens de la satisfaction dans la vie grandira, nous pourrons partager notre appréciation avec les autres. A mesure que nous influencerons les autres à s'entraider, nous verrons notre propre appréciation devenir plus forte et notre compréhension s'approfondir.

Tout comme la concurrence incite à plus de concurrence, l'esprit de coopération inspire l'affection et l'intérêt attentif à ceux qui le ressentent et ceux qui en bénéficient. Quand nous considérons tous les autres comme des amis partageant une quête mutuelle d'accomplissement, nous·participons à la richesse de l'expérience humaine. Quand nous travaillons tous ensemble au lieu de trouver des moyens inutiles et mesquins de nous faire concurrence, les possibilités de soutien et d'intérêt authentiques sont infinies.

TROISIÈME PARTIE

Partager

Quand nous investissons notre soin dans les autres, nos sentiments positifs grandissent et s'étendent ; les autres répondent avec leur affection, et la richesse de cette expérience partagée élève partout la qualité de la vie. Notre soin et notre joie augmentent, nous accroissons notre aptitude à approfondir et élargir notre intérêt sincère pour autrui. Quand nous basons notre vie sur l'intérêt attentif, nos relations ont un fondement sûr et sain, nous avons la force d'aviser habilement à tout ce qui survient.

COMMENT UTILISER
NOS RESSOURCES HUMAINES

Nous tirerions tous plus du travail et de la vie si nous possédions moins. Ceci ne signifie pas que nous devrions tout donner et essayer de vivre de rien, ou nous sentir coupables de jouir de ce que nous avons. Ceci signifie qu'une beauté réside dans la vie et le travail menés avec précision et efficacité, sans prendre plus que nous n'avons besoin. De là vient un équilibre intérieur, une sensation d'harmonie paisible avec tout ce qui nous entoure. Mais cette connexion immédiate avec des valeurs, cette clarté sur nos besoins effectifs, peuvent être obscurcies quand nous possédons trop.

Cette attitude envers les biens et les possessions est constamment renforcée par notre civilisation. Nous ressentons des pressions subtiles venant de nos amis, notre famille, et ceux avec qui nous travaillons, nous poussant à « maintenir » notre standing matériel de vie. A cause de l'abondance et de la prospérité autour de nous, nous sommes encouragés à exécuter jusqu'au bout un processus répétitif d'excès dans notre vie. Nous nous inquiétons peut-être de la destruction des forêts et de la dévastation de la nature — pourtant nous oublions qu'une grande partie du gaspillage des ressources et de l'énergie est effectuée pour satisfaire nos exigences. Même ceux qui dénoncent le gaspillage pratiqué dans notre civilisation admettraient, s'ils étaient honnêtes, que leurs possessions dépassent de beaucoup leurs besoins.

Les possessions peuvent enrichir notre expérience et nous être utiles pour vivre et travailler dans le monde, cependant, quand nous nous y attachons, elles prennent trop d'importance dans notre vie. Nous commençons à penser que plus nous posséderons plus notre satisfaction sera grande. Nous perdons de vue qu'en fait, ce qui nous apporte de la satisfaction, ce ne sont pas ces choses elles-mêmes, mais la façon dont nous les utilisons. Notre désir de posséder les choses mène à une attitude égoïste, avide, qui nous fait perdre notre sens de l'équilibre avec le monde, nous isole du changement et de la croissance intérieure.

A mesure que nos désirs deviennent centrés sur nous-mêmes, nous sommes pris dans des processus répétitifs de besoins et de désirs. La frustration accompagne cette mentalité au service de soi ; quand nous n'obtenons pas ce que nous voulons, une sensation de perte et de ressentiment s'élève. Quand nous parvenons effectivement à obtenir ce que nous voulons, nous devons alors le protéger et le défendre. Dans les deux alternatives, nous suivons un chemin étroit et limité qui nous ferme aux autres.

La surabondance et le mauvais emploi constant de nos ressources peuvent émousser notre sens de la différence entre besoins réels et superflus. Nous en venons à estimer les chose à court terme, à ne penser qu'au plaisir et à la commodité, et ne réussissons pas à avoir une perspective plus large. Nous perdons progressivement contact avec les valeurs fondamentales de la vie, et finissons par oublier tous ceux qui n'ont jamais le nécessaire. Si nous étions suffisamment proches pour sentir les besoins d'autrui, chacun de nous offrirait son aide. Mais quand nos valeurs sont obscurcies, quand nous sommes isolés par un coussin de confort matériel, il est difficile de percevoir les besoins et les difficultés des autres, et encore plus d'y répondre.

Quand nous reconnaissons le résultat de nos habitudes de gaspillage sur notre vie, notre travail, nos relations, nous pouvons arriver à une connaissance plus claire de nos besoins réels. Nous cessons de répondre aussi volontiers à nos désirs superficiels et sommes capables de concentrer notre énergie sur les choses qui nous sont vraiment importantes, les choses qui font que notre vie vaut la peine d'être vécue.

Afin de rester en contact avec nos valeurs, c'est une aide, périodiquement, de regarder de près comment nous employons nos possessions. Consacrez quelques minutes à considérer tout ce que vous possédez. De combien avez-vous réellement besoin ? De combien vous servez-vous effectivement ? Combien gaspillez-vous ? Si vous avez plus que vous ne pouvez utiliser, partagez-vous avec les autres ? Quand vous projetez d'acquérir quelque chose de nouveau, gardez ces questions présentes à l'esprit. Elles vous aideront à avoir une perspective plus responsable sur ce que vous voulez acquérir et la façon dont vous l'utiliserez.

Peut-être notre civilisation a-t-elle déjà entrepris un retour vers des valeurs fondamentales, simples, un effort pour appliquer à la vie moderne des qualités et des idéaux traditionnels. Nous commençons aussi à garder davantage un œil sur l'avenir, afin de préserver nos ressources pour les besoins des générations futures. Ce changement est très encourageant, car en tant que grande nation du monde, nous donnons un exemple aux autres pays. Avec notre progression vers un usage plus sage, plus économique, des ressources et de l'énergie, d'autres peut-être seront influencés par ces changements positifs et se rassembleront pour participer à la recherche de moyens d'utiliser toutes nos ressources à bon escient.

Mais ceci n'est encore qu'une possibilité future. Tout

d'abord nous devons réaliser ce changement dans notre vie personnelle, notre manière de travailler et de vivre. Nous avons besoin d'être conscients de l'usage que nous faisons des choses, et d'apprendre à en faire bon usage. Au travail, quand nous savons ce qui est exactement nécessaire, ni plus, ni moins, nous évoluons avec fluidité, chaque étape bien réfléchie. Nous sommes attentifs aux matériaux, au temps, à l'énergie ; la planification marche bien et les problèmes imprévus sont aisément résolus. Chaque moment est plein d'intérêt et de vitalité, nous sentons une connection immédiate avec tout ce que nous faisons. Les collègues de travail font équipe, partagent problèmes et plaisirs. Nous jouissons d'un sens clair de nos buts, et tirons de notre travail une satisfaction et une signification réelles. ·

A mesure que nous appliquons la compréhension de l'économie dans tous les domaines de notre vie, nous libérant du fouillis du gaspillage et de l'inefficacité, nous devenons stables, confiants en nous-mêmes, et nous considérons notre vie avec plus de clarté. Nous apprenons à apprécier nos ressources intérieures, nos forces autant que nos faiblesses. Cette lucidité nouvelle nous donne des occasions supplémentaires de changer nos attitudes et nos processus répétitifs négatifs. Au lieu de craindre de ne pas avoir assez, menacés par un avenir vide de sens, nous savourons la promesse d'un développement régulier et une satisfaction durable, avec une vision de la plénitude des vraies valeurs de la vie.

CONNAISSANCE DE SOI

Nous en venons à connaître la beauté de la nature humaine en reconnaissant la vérité et l'intégrité de notre propre être. Cette récognition donne de la clarté à nos perceptions, de la force à nos décisions et à nos actes, et un sens profond de sécurité à notre vie. Savoir qui nous sommes réellement libère la joie, la vérité et l'appréciation profonde qui résident en chacun de nous. Une connaissance de soi authentique nous permet de guider notre vie dans des directions saines et riches de sens, imprimant la force de la conscience à tout ce que nous vivons.

Bien se connaître améliore la qualité de la vie, pourtant beaucoup d'entre nous trouvent difficile de réaliser cette connaissance de soi libératrice. Nous pouvons passer une bonne partie de notre vie en quête de notre véritable identité, essayant différentes vocations, liant de nouvelles connaissances, à la recherche de nouvelles activités pour capter notre intérêt. Souvent, cependant, plus nous nous cherchons dans ces choses, plus tout ce que nous vivons semble source de confusion.

Qu'est-ce qui nous empêche de découvrir la vérité de notre être intérieur ? Chacun de nous a une image de soi fondée sur qui nous pensons être et comment nous pensons être vus aux yeux des autres. Quand nous regardons dans un miroir, nous savons que ce que nous y voyons n'est qu'un reflet ; bien que notre image de soi ait la même qualité illusoire, nous la croyons souvent réelle. Notre croyance en cette image nous écarte des vraies qualités de notre nature.

L'image de soi est comme un mirage ; elle nous promet de la nourriture, mais quand s'élève un problème qui exige la force d'un esprit clair et assuré, l'image de soi n'a rien à offrir ; elle échoue à nous soutenir lorsque nous en avons le plus besoin. L'image de soi, parce qu'elle est fondée sur ce que nous aimerions être, sur ce que nous craignons d'être, ou sur la façon dont nous aimerions être vus par le monde, nous empêche de nous voir clairement. Nous n'arrivons à reconnaître ni nos véritables forces, ni nombre de nos défauts.

L'image de soi est particulièrement trompeuse parce qu'elle peut nous rendre aveugle à nos faiblesses et à nos imperfections. En reconnaissant ces éléments, nous pourrions commencer à les modifier ; mais quand nous nous appuyons sur notre image personnelle pour les recouvrir, nous faisons obstacle à notre développement. Nous utilisons cette image pour éviter de nous regarder avec franchise, créant un tableau flatteur de nous-mêmes qui permet de croire que nos imperfections sont seulement des problèmes mineurs. Ou bien nous pouvons nous appesantir sur nos aspects négatifs et nous limiter en nous cachant derrière une image de soi désapprobatrice.

Diriger notre énergie sur le soutien de notre image, nous empêche aussi d'avoir une relation ouverte avec les autres. Nous pouvons devenir sourds à l'information sur nous, non conforme à cette image, que nous renvoient les effets de notre attitude, ou contester la vérité quand on nous la montre. Même s'il est possible de réussir par ce comportement à manipuler les autres afin qu'ils soutiennent notre image, en nous coupant de la critique honnête, nous perdons contact avec ceux qui souhaitent en fait nous aider. Nous nous éloignons également de la connaissance intérieure qui peut nous aider à distinguer la vérité dans ce que disent les autres. Dépourvus de point d'appui, sans terrain stable où nous tenir, nous nous accrochons encore plus fort à nos propres concepts sur nous-mêmes.

Comment réussir à dépasser les limitations de l'image de soi et arriver à une connaissance de soi plus vraie ? Nous pouvons commencer par regarder de près qui nous pensons être. Prenez le temps d'examiner soigneusement comment vous vous apparaissez personnellement. Quelle relation y a-t-il entre vous et votre image ? Tout en continuant à considérer vos concepts sur vous, voyez ce qu'ils signifient par rapport aux personnes avec qui vous travaillez, à votre famille, à vos amis ; observez comment vous apparaissez aux autres. Suivre à la trace votre image personnelle n'est pas facile, cependant quand vous commencez à voir plus clairement les concepts que vous avez sur votre personne, vous pouvez alléger leur emprise sur votre vie. Vous pouvez vous regarder avec plus d'honnêteté, apprendre à reconnaître et accepter l'ensemble de vos traits de caractère, aussi bien toutes vos qualités que tous vos défauts.

Il est possible alors d'augmenter votre conscience de vous-même et votre confiance en vous, en observant attentivement les processus de développement qui se répètent dans votre vie. Regardez tout ce que vous avez accompli, et les éléments qui ont influencé votre développement. La constatation d'avoir surmonté des problèmes et corrigé des erreurs passées peut vous encourager à considérer les problèmes futurs comme des occasions d'apprendre. Vous pouvez bâtir votre connaissance de vous-même et votre confiance comme un athlète bâtit ses aptitudes physiques : même si se voir personnellement peut tout d'abord être difficile, entraîner sa force grandissante devient un plaisir à mesure que l'image de soi cède à la vraie connaissance de soi. Considérer clairement vos forces et vos faiblesses mène à une confiance véritable en vous ; votre conscience croissante devient une source de force dans votre travail et votre vie, un terrain où vous vous sentez stable.

A mesure que nous travaillons à l'accroissement de notre conscience, nous devons passer par un processus de développement, un processus délicat et qui demande à être attentivement nourri. Tandis que nous faisons notre introspection, avec une bonne volonté de plus en plus grande à examiner nos forces et nos faiblesses, et que nous commençons à prendre des mesures pour changer, nous ne sommes peut-être pas sûrs de notre terrain. Pourtant, nous pouvons être tentés de tester notre connaissance de soi en parlant de l'expérience que nous traversons ou en essayant de conseiller les autres. Quand nous parlons d'un processus de croissance intérieure avant de l'avoir complètement intégré, nous risquons de perdre ce que nous avons gagné. Nous avons tendance à dissiper la force de notre conscience, à substituer les mots à la croissance elle-même.

Un enfant court vers sa mère avec une bulle, et est déçu quand elle éclate avant d'avoir pu la lui montrer. Comme lui, quand nous tentons de partager trop tôt notre connaissance intérieure, nous sommes souvent déçus et désillusionnés. Nous constaterons peut-être que les autres comprennent de travers ce que nous disons. Ou bien ils ne s'intéressent pas beaucoup à ce que nous avons à dire. Ils peuvent nous tourner en ridicule, nier la validité de nos opinions, nous faisant douter de nous-mêmes. Quand ceci arrive, il est possible que nous perdions notre confiance, et même notre aptitude à contacter nos pensées et sentiments situés à un niveau de profondeur et de sensibilité plus grandes.

De plus, l'énergie que nous investissons à parler de nous est une énergie précieuse qui pourrait être appliquée à augmenter notre conscience. Quand nous utilisons notre énergie avec sagesse, elle peut nous aider à pénétrer plus profondément en nous et à effectuer les changements que nous avons besoin de faire. Peu à peu, nous devenons plus conscients des qualités·qui mènent au développement intérieur, et à mesure que nous continuons à évoluer, nous protégeons naturellement ce développement. Quand nous avons totalement digéré et intégré notre force grandissante, nous pouvons alors la partager avec d'autres.

Être encouragé par les autres est souvent une aide, mais s'encourager soi-même est encore plus important. Quand nous avons affaire à la personne que nous sommes réellement, nous prenons confiance ; nul ne peut nous ébranler sur nos fondations. Quand nous sommes en contact avec la réalité, rien dans la vie ne nous affaiblit. Progressivement, nous voyons notre force s'accroître et apprenons à ressentir la confiance issue de la connaissance de notre nature intérieure ; en même temps nous développons la clarté, l'intégrité, la conscience.

Lorsque nous avons une conscience lucide de nous-mêmes, nous savons où nous en sommes, nous savons qui nous sommes. Nous sommes disposés à accepter nos talents et nos imperfections, ainsi que les leçons à en tirer. Nous reconnaissons le potentiel d'enrichissement de notre vie présent en toute expérience, et tirons parti de tout ce qui arrive pour croître et nous développer dans des directions plus saines.

Nous acquérons une perspective équilibrée de notre relation avec nous-mêmes et avec les autres. A mesure que nous apprécions qui nous sommes réellement, nous commençons à apprécier les qualités des autres et notre compréhension de la nature humaine s'approfondit. S'accepter et accepter les autres devient alors plus facile ; lorsque nous avons confiance en nous, nous pouvons ouvrir notre cœur pour inclure dans notre vie tous les autres. Notre environnement devient plus léger grâce à l'intérêt attentif et à la compassion qui jaillissent de cette acceptation naturelle. Notre énergie et notre travail sont guidés par la clarté, par une perception lucide de ce que nous sommes et de ce que nous voulons accomplir. Les résultats de notre travail, et le sens plus vaste de la vie, mènent à une appréciation et une stabilité croissantes dans tout ce que nous faisons.

COMMUNICATION

La communication est le lien vital entre nos vues et le soutien nécessaire pour les aider à prendre forme. Elle protège les intuitions les plus précieuses de l'humanité, transporte l'inspiration qui donne l'étincelle à la créativité, et la vérité qui exprime la plénitude de la nature humaine. Elle procure les moyens de transmettre la connaissance d'une génération à la suivante. Ainsi la communication joue un rôle crucial dans le processus continu de l'amélioration de la qualité de la vie.

Quand nous communiquons vraiment, nous ouvrons des chemins où pourront se répandre l'amour et l'intérêt attentif, nous inspirant les uns aux autres l'ouverture, éveillant une profonde appréciation de la joie et de la signification contenues dans la vie. Dans tout ce que nous essayons de communiquer, notre intérêt sincère fait toujours partie du message, car la vraie communication crée l'union de cœur, l'union d'esprit, en un lien commun d'amitié et de compréhension mutuelles. Pensées et sentiments sont exprimés sans heurts et clairement ; notre cœur, notre esprit et notre énergie sont totalement engagés, fusionnés en une·unité fluide.

Les bonnes relations de travail dépendent de cette interaction fluide. Quand nous nous soucions vraiment de travailler ensemble, nous savons l'importance de comprendre et d'être compris, d'être clairs et honnêtes dans ce que nous disons et la façon de le dire. Nous nous écoutons et nous soutenons réciproquement ; les problèmes de travail sont traités sans heurts. Nous nous entraidons volontiers, réalisant ensemble nos buts et partageant toute notre énergie. Nous sommes sensibles aux messages internes venus de nos propres sentiments et nos pensées, ce qui nous rend sensibles aussi aux personnes avec qui nous travaillons. De la bonne communication découlent une harmonie et un intérêt naturels.

La plupart d'entre nous ne sommes pas en contact avec la connaissance intérieure qui est l'essence de la communication. Au lieu d'être ouverts à nous-mêmes, capables de partager nos pensées et nos sentiments, nous nous préoccupons de protéger notre image personnelle. Nous disons que nous voulons communiquer, mais nos gestes et expressions, le ton de notre voix et le débit de notre parole peuvent révéler que nous ne souhaitons pas vraiment partager. A moins de bien nous connaître nous-mêmes, et de comprendre avec lucidité notre motivation et notre message, nous ne communiquons souvent guère plus que la confusion.

Quand nous ne prenons pas un intérêt réel à partager, aucun échange d'idées pourvu de sens ne peut avoir lieu. Nous n'exprimerons peut-être nos vues que partiellement, attendant de l'interlocuteur qu'il comprenne tout. Ou bien nous pouvons nous exprimer dans un langage compréhensible à peu de personnes. Même si les autres ne comprennent pas, il est possible qu'ils acceptent sans discussion notre position et nos idées, simplement pour cacher leur manque de compréhension. De cette façon, nous utilisons la communication pour manipuler les autres plutôt que comme un moyen de nous ouvrir à eux. L'occasion de la circulation des idées et de leur partage, l'occasion d'approfondir notre compréhension humaine, est perdue.

Si cela ne nous intéresse pas suffisamment de bien communiquer, tout ce que nous pouvons communiquer effectivement est ce manque d'intérêt attentif. Quand nous examinerons de près nos modes répétitifs de communication, prenant en considération la façon dont les autres réagissent à ce que nous disons, nous commencerons à voir comment ce manque d'intérêt entrave nos efforts pour communiquer clairement. Nous verrons si nous écoutons vraiment ce qu'a l'autre à dire, ou si nous nous préoccupons davantage de faire connaître nos propres opinions. Remarquer si nous interrompons ou si nous sommes disposés à un regard directement ouvert sur l'autre personne peut être très instructif sur notre véritable motivation.

En observant nos interactions avec les autres, nous pouvons comprendre les problèmes de communication que nous nous créons personnellement. Si nous voulons atteindre la satisfaction de partager avec les autres, nous devons développer notre bonne volonté à communiquer directement avec ceux qui nous entourent. Pour cela, nous devons prendre avec toute la force de notre cœur et de notre esprit la résolution de changer. Ceci accompli, nous pouvons être sûrs que l'intérêt attentif fait toujours clairement partie de notre message.

A mesure que nous ouvrons davantage notre cœur aux autres, nous voyons que bien écouter signifie ouvrir tous nos sens pour écouter ce que les autres ont à dire, pas seulement dans leurs paroles, mais dans leur cœur. Ainsi, nous en venons à comprendre réellement ce qu'ils ressentent, et ce qu'ils ont à nous dire. Cette réceptivité nous permet de nous ouvrir plus profondément à nous-mêmes et la communication devient un pont pour la compréhension humaine. Nous commençons à communiquer avec droiture ; ce faisant nos idées et nos perspectives se développent, changent, s'élargissent et nous découvrons un sens profond de satisfaction dans nos interactions avec les autres.

Le respect mutuel et la récognition nés de la vraie communication sont bien plus durables et satisfaisants que l'éloge ou l'admiration de nos qualités superficielles. Quand nous nous détendons et nous ouvrons à nous-mêmes et aux autres, quand nous cessons d'essayer de nous protéger ainsi que nos idées, nous commençons à effectuer des changements positifs dans notre vie. Quand nous sommes intérieurement calmes et réfléchis dans notre relation avec le monde autour de nous, nous constatons que nous pouvons communiquer clairement nos idées, et que nos objecifs se réalisent. Nous sommes en harmonie avec le monde et le monde est en harmonie avec nous.

Vivre une relation harmonieuse avec le monde élève le développement de la connaissance et de la créativité dans notre vie, et dans celle de ceux qui nous entourent. Le besoin de maintenir une image de soi s'énavouit, car les autres nous apprécient pour ce que nous sommes réellement, et réciproquement nous apprécions tous ceux qui nous entourent. Apprendre à bien communiquer apporte à notre vie une paix et une joie profondes. Nos relations avec nos collègues, notre famille et nos amis deviennent chaleureuses et durables, parce qu'elles sont fondées sur l'intérêt attentif et la vérité.

COOPÉRATION

La capacité de bien travailler avec les autres naît des qualités qui contribuent à une vie saine : stabilité, honnêteté, clarté, confiance intérieure et conscience bien centrée. En même temps que nous développons ces qualités, nous apprenons à partager avec les autres nos compétences et notre expérience ; ceci est le commencement de la coopération. A mesure que nous nous intéressons aux autres et les aidons avec ouverture de cœur, nous découvrons qu'ils nous répondent par un soutien réciproque.

Bien travailler avec les autres fait prendre conscience de la valeur unique de chaque individu, et apprécier la synthèse produite par la participation de plusieurs personnes à une tâche. La coopération libère une force vitale d'énergie créatrice qui peut amener des bienfaits très supérieurs à ceux que toute personne pourrait réaliser isolément. Le progrès, tant au niveau global qu'individuel, dépend de cette coopération.

Mais même si chacun de nous peut apprécier la valeur de la coopération, nous trouvons peut-être difficile de bien travailler avec les autres. L'un des obstacles les plus courants à la coopération est la tendance à penser que nos sentiments personnels et notre attitude ont plus d'importance que ceux des autres.Nous pouvons penser que nous réussirons mieux seuls, en canalisant notre énergie uniquement sur nos propres buts. Nous ne voyons pas que cette perspective égocentrique peut affecter nous-mêmes et les autres à différents niveaux.

Au début nous semblons peut-être faire du bon travail, cependant nous nous fermons et nous isolons. Nous ne partageons pas les informations utiles au travail des autres. Nous entretenons des jalousies mesquines qui mènent au ressentiment : des conflits personnels commencent à s'enraciner et grandir. Des désaccords mineurs évoluent en problèmes majeurs, jusqu'à ce que, finalement, bien travailler avec les autres devienne difficile — ou impossible. Sans la coopération qui nous réunit, notre travail et nos relations pâtissent, nous perdons de vue les délices et les bienfaits de travailler en collaboration étroite les uns avec les autres.

Une inaptitude à coopérer est souvent le résultat de processus de comportement formés pendant l'enfance, d'efforts égocentriques pour parvenir à nos fins et éviter ce dont nous ne voulons pas. Ces processus répétitifs peuvent faire surface dans notre manière de traiter les problèmes courants du travail, ou dans des relations qui se déroulent mal. Nos propres intérêts peuvent nous occuper tellement que nous ignorons l'importance de nos relations avec les autres. Par conséquent, nous nous fermons aux éléments essentiels de la coopération : regarder à l'extérieur de soi, s'ouvrir et, surtout, s'intéresser avec soin.

Peut-être essayons-nous d'être un peu plus ouverts à la maison, mais particulièrement au travail nous nous fermons aux gens avec qui nous travaillons, au travail, et même à nous. Afin d'atteindre nos objectifs ou protéger notre image personnelle, il se peut que nous essayions de manipuler ceux qui nous entourent. Nous pouvons aussi nous accrocher à une position, refuser de coopérer, parce que nous craignons de voir nos faiblesses révélées si nous lâchons prise et nous ouvrons aux autres. Et pourtant, c'est l'attachement à notre perspective égoïste qui nous empêche de réaliser notre potentiel d'intérêt attentif et de travail sans heurts avec ceux qui sont autour de nous. Nous ne voyons pas que la coopération est bien plus importante que le succès à défendre un point de vue.

Quand nous sommes disposés à apprendre à coopérer, nous ouvrons notre vie à l'expérience enrichissante de bien travailler avec les autres. La prochaine fois que vous aurez un conflit de travail avec quelqu'un, au lieu de vous concentrer sur votre colère et vos sentiments blessés, cherchez une solution positive au problème. C'est le moment de laisser tomber vos émotions et d'essayer de travailler ensemble, de sorte que même s'il y a désaccord, vous pouvez maintenir un lien de coopération. Pour cela, il faudra peut-être sacrifier l'occasion de donner libre cours à vos sentiments, de l'« emporter » dans la discussion. Si vous arrivez au contraire à vous détendre un peu, à devenir plus souple dans vos relations avec les autres, vous rendrez votre créativité naturelle libre d'élever la qualité de votre travail, approfondissant en vous l'intérêt attentif et la compréhension envers ceux avec qui vous travaillez.

Pour être capable d'une vraie coopération avec ceux qui nous entourent, nous avons aussi besoin de nous ouvrir à nous-mêmes — à notre corps, notre esprit, nos sens et nos sentiments. Quand nous reconnaissons les messages de ces sources, notre connaissance intérieure forme un pont entre nous et les autres. Nous acquérons une perspective plus large qui encourage le développement des relations positives, génératrices de soutien. Nous apprenons à être sensibles aux humeurs et aux sentiments ; nous savons ce que ressentent les autres et nous nous y intéressons. Nous remarquons le ton de leur voix ou la force de leur énergie, et sentons ainsi le moment et la manière de les approcher avec considération. A mesure que nous développons des perceptions plus claires et devenons plus sensibles aux autres, notre communication se fait plus ouverte et plus sincère.

Quand nous prenons le temps de partager connaissance et expérience avec nos amis et nos collègues de travail, ils se trouvent encouragés à bien faire et à développer leurs aptitudes. Le travail se déroule plus aisément et plus efficacement quand nous communiquons avec clarté et offrons une réponse honnête en retour à ce que nous renvoient les effets de notre comportement, quand nous nous soutenons mutuellement pour exprimer nos idées et prendre des décisions. Nous sentons un lien commun avec nos collègues, ce qui n'empêche pas les caractéristiques particulières d'être appréciées aussi ; les problèmes sont résolus sans heurts et les énergies de travail deviennent équilibrées. Ainsi, nous en venons à nous faire mutuellement confiance et développons une grande loyauté envers les intérêts de notre travail.

A mesure que les circonstances de travail deviennent toniques et productives — favorables à la croissance intérieure, l'honnêteté, la clarté et la coopération — ces qualités sont intégrées à tout ce que nous faisons. Nous devenons entièrement disposés à partager dans le travail. Nous arrivons à une confiance mutuelle, nous aidant les uns les autres à surmonter les obstacles, de sorte que le travail coule régulièrement, agréable pour tous. Nous unissons toutes nos énergies, nos idées, pour créer une force dynamique et puissante capable de réaliser des buts trop difficiles à atteindre seul. Travailler ensemble devient pour chacun une expérience de compréhension et de respect mutuels, une source de satisfaction illimitée et une inspiration créatrice.

La qualité de toute notre activité est rehaussée quand nous exprimons naturellement un intérêt attentif envers les autres. Laissons tomber nos vues égocentriques et travaillons avec un esprit ouvert, en harmonie avec ceux qui nous entourent : nous commençons à ressentir une joie et une satisfaction profondes dans tous nos rapports. Notre croissance intérieure est accélérée par l'ouverture d'esprit, et nous voyons décliner problèmes et conflits non seulement dans notre propre vie, mais dans toute notre civilisation. Ainsi les bienfaits de la coopération éclairent la qualité de la vie pour toute l'humanité.

L'intérêt attentif et la coopération nous révèlent les nombreux plaisirs du travail, et le temps que nous passons au travail devient une source de stimulation et d'agrément. Les défis sont bien accueillis, le potentiel créateur se développe au travail et ailleurs. L'énergie est positive et gaie, elle déborde dans le reste de la vie ; les distinctions entre travail et temps libre diminuent à mesure que le travail est intégré dans une démarche de vie harmonieuse. Quand nous apprenons à coopérer vraiment, il n'y a pas de limite à ce que nous pouvons accomplir, et à la jouissance profonde que peut nous donner notre vie.

RESPONSABILITÉ

Reconnaître nos responsabilités personnelles est quelque chose de simple : nous avons tous certains devoirs à remplir, certaines obligations. Celles-ci sont claires pour nous. Mais nos responsabilités ne se limitent pas à ces devoirs personnels, car dans un sens bien plus profond, nous sommes responsables de l'ensemble de ce que nous vivons : de notre relation avec le monde en général.

La vraie responsabilité, c'est un intérêt actif et une capacité de réponse à tout ce qui nous entoure, une disponibilité à faire tout ce qu'il faut. Ceci signifie que nous assumons la responsabilité non seulement de certaines obligations, mais de chaque aspect de la vie, répondant à chaque expérience avec une bonne volonté dynamique, une ouverture à la vie dont la source est un soin, un intérêt, profonds.

Pour développer le sens de la responsabilité, nous avons besoin de l'attention vigilante, de savoir comment sont réellement les choses. Ceci signifie être conscients : conscients de nos actions et nos pensées, conscients de leurs effets sur les autres, et même conscients de leurs conséquences à un niveau global. Cette conscience nous permet de répondre toujours aux situations de façon appropriée, de nous ouvrir aux vrais besoins de ceux qui nous entourent, et d'agir spontanément d'une manière qui crée l'harmonie et l'équilibre.

Chacun de nous possède cette capacité de réponse et de conscience, mais à la plupart, on n'a pas enseigné à la développer. Traditionnellement, l'enseignement consistait en un processus d'apprentissage de la connaissance et des compétences permettant de prendre vraiment place avec responsabilité dans le monde. Mais aujourd'hui, l'enseignement ne fournit habituellement que des informations, il ne parvient pas à nous apprendre à bien les utiliser dans notre vie. Nous ne connaissons pas la vraie nature et l'étendue de notre responsabilité en tant qu'êtres humains.

Nous avons besoin de développer un « enseignement supérieur », enraciné dans l'intérêt attentif et fondé sur le respect envers la connaissance et l'expérience. Bien qu'il ne soit pas facile de trouver de nos jours une telle éducation, nous pouvons nous tourner vers les valeurs traditionnelles du passé, car elles transmettent la sagesse accumulée par tous ceux qui nous ont précédés. C'est le trésor dont nous héritons ; si nous apprenons à en faire bon usage, il nous montrera comment agir avec efficacité dans le monde.

Le travail nous donne l'occasion de nous éduquer, d'intégrer des valeurs élevées à notre expérience quotidienne. En nous intéressant avec soin à notre travail, en y répondant pleinement, nous pouvons commencer à comprendre la nature de notre responsabilité en tant qu'êtres humains. Car nous avons la responsabilité de travailler, d'exercer nos talents et nos aptitudes, d'apporter à la vie la contribution de notre énergie. Notre nature est créatrice ; en l'exprimant, nous engendrons constamment plus d'enthousiasme et de créativité, stimulant un processus continu de bien-être joyeux dans le monde autour de nous. Travailler avec bonne volonté, avec notre plénitude d'énergie et d'enthousiasme, est notre manière de contribuer à la vie.

N'importe quel travail peut être un plaisir. Même de simples tâches ménagères peuvent être l'occasion d'exercer et développer en nous l'intérêt attentif, la capacité de réponse. A mesure que nous répondons à tout travail avec un intérêt attentif et une vue large, nous développons notre capacité de répondre pleinement à tout dans la vie. Chaque acte engendre de l'énergie positive qui peut être partagée avec d'autres. Ces qualités d'intérêt attentif et de réponse sont le plus grand cadeau que nous puissions offrir.

Quand nous ne répondons pas au travail avec toute notre énergie, nous limitons notre potentiel et nions notre vraie nature. Au lieu de contribuer pleinement à la vie, d'assumer la responsabilité de notre nature créatrice, nous fixons des limites à ce que nous pouvons faire. Quand notre travail ne marche pas bien, nous prétendons peut-être que nous avons une responsabilité trop lourde, ou qu'on nous l'a imposée ; nous pouvons essayer de reporter sur notre manque d'expérience le blâme de notre inefficacité. En plus, comme nous ne nous sommes pas assez souciés de consacrer toute notre énergie à ce travail, nous ne nous considérons pas vraiment responsables des résultats que nous produisons.

Quand nous ne participons pas pleinement à notre travail, nous privons notre famille, notre société et notre monde de la pleine expression de notre énergie. Cette résistance à notre responsabilité en tant qu'êtres humains peut prendre bien des formes. Nous pouvons penser qu'ayant assez d'argent pour vivre, nous n'avons pas besoin de travailler. Nous pouvons aborder le travail comme une tâche, une obligation pénible dont nous nous acquittons contre notre gré. Nous pouvons travailler seulement pour l'argent. Dans tous les cas, quand nous considérons notre travail comme une chose à laquelle opposer de la résistance plutôt qu'une occasion dont tirer pleinement parti, nous abusons de tous les autres êtres de l'univers ; nous abusons de la vie même. Nous avons le don de la vie, et si nous ne l'utilisons pas pleinement, nous créons un déséquilibre dans le monde, car les autres ont à nous soutenir avec leur énergie.

L'histoire de notre époque montre clairement les effets de l'action égocentrique, irresponsable. Accords rompus, conflits sociaux, désastres écologiques, tout indique un échec à assumer une responsabilité véritable, un échec à répondre complètement et avec connaissance aux exigences de la vie. Nous avons tous rencontré des gens qui en ont entraîné d'autres dans des difficultés ou des dangers, puis ont refusé d'accepter la responsabilité de leurs actes. Ceux qui suivent sont responsables aussi, tout de même, car meneurs ou menés, nous sommes responsables de ce qui est fait.

Si nous n'insistons pas pour que ceux qui nous guident prouvent leur intégrité ou se montrent responsables dans leurs actes, nous préparons pour l'avenir le chemin à des directives dénuées de réflexion. Quand nous écoutons ceux qui nous promettent ce que nous voulons entendre, et non ceux qui ont la connaissance et l'expérience nécessaires pour bien nous guider, nous engendrons un manque général de réponse et d'intérêt attentif à bien faire.

Si nous voulons agir avec responsabilité, nous avons besoin de renforcer en nous le sentiment d'intérêt attentif. Nous pouvons alors faire un effort pour envisager notre situation avec une perspective plus large. Quand nous sommes plus sensibles à ceux qui nous entourent, à notre travail, à ceux qui travaillent avec nous, nous acquérons un sens plus lucide des effets possibles de nos actes. A mesure que notre conscience et notre capacité de réponse augmentent, nous constatons que nous sommes aptes à assumer complètement la responsabilité du bien-être futur de nos enfants, de notre société, et de notre monde.

Regarder notre passé personnel peut nous aider à développer la capacité d'intérêt attentif, de soin. Nous pouvons tous nous rappeler une circonstance où nous avons répondu complètement, avec ouverture, à une autre personne, en considérant ses besoins comme les nôtres. Prenez le temps de vous rappeler les détails de ce souvenir : ce qui s'est passé, ce que vous avez ressenti envers la personne, ce que vous avez fait.

Puis tournez votre attention vers le souvenir d'une circonstance où vous n'avez pas agi avec cet intérêt attentif, où vos paroles ou bien vos actes ont blessé quelqu'un. Revoyez soigneusement la situation, en examinant vos motifs et vos actes, votre attitude en réponse à cette personne. Rappelez-vous si, avant d'agir, vous avez pensé à ses sentiments ; notez tout ce qui vous importait. Quand vous avez passé en revue cette situation le plus à fond possible, imaginez-vous en train d'y répondre avec toute la force de votre intérêt attentif à cette personne, et laissez vos sentiments positifs se renforcer dans votre cœur.

Agir de façon responsable stimule une croissance intérieure saine, des attitudes positives, et donne par conséquent un dessein à notre vie. Nous menons une vie naturelle, en harmonie avec les rythmes de l'univers, animés d'un soin profond pour tout ce que nous faisons. A mesure que nous comprenons mieux la nature de l'existence, nous voyons qu'en fin de compte, c'est de la vérité que nous sommes responsables. Même si nous sommes parfois dans une position solitaire, c'est la vérité qui nous libérera de l'égoïsme, du ressentiment, de la peur et de l'anxiété. Quand nous prenons dans notre vie la responsabilité de rechercher la vérité et de l'assumer, notre existence s'en trouve fortifiée. La vérité clarifie notre perspective, elle nous dirige sur un chemin sain de développement intérieur et de satisfaction. Avec le sens de la responsabilité comme fondement, le temps et la connaissance nous ouvrent aux possibilités infinies de l'existence. Même si nous vacillons au début, continuons à nous encourager nous-mêmes et nous atteindrons la vraie liberté.

L'action responsable vient naturellement une fois qu'elle a été développée. Nous n'avons pas un sentiment pesant de devoir ou d'obligation — nous agissons de façon responsable parce que c'est l'attitude naturelle, saine. Nous vivons selon une relation avec le monde faite d'intérêt attentif et de réponse adéquate. Cette aptitude à la réponse est aussi complète que la réponse du soleil à la terre, un accord continu rempli sans hésitation.

HUMILITÉ

La véritable humilité n'est guère aisée à atteindre de nos jours. A presque tous les niveaux de vie prévalent l'improbité subtile, la concurrence, l'égoïsme ; nous avons perdu de vue la valeur du partage avec autrui. Nous réfrénons notre affection et notre intérêt, et gardons pour nous les sentiments joyeux parce que nous avons peur de partager. La joie peut entrer si rarement dans notre vie, et les besoins des autres sembler si écrasants, que nous avons l'impression de devoir garder ce que nous pouvons pour nous. Ainsi, nous échouons à nourrir les qualités d'amour et d'intérêt attentif qui pourraient élever nos relations avec les autres.

Quand nous développons les ressources de notre nature intérieure, quand nous partageons activement notre chaleur et notre joie, ceci inspire les autres à développer des sentiments semblables, et nous découvrons la grande richesse et la valeur de ce que nous pouvons recevoir les uns des autres. Ce partage avec les autres, plein d'ouverture, est une expression de la véritable humilité.

L'humilité est une expérience de la communauté de tous les hommes. Elle mène à une perspective équilibrée sur la nature humaine qui tient compte de toutes les forces et les faiblesses que chacun de nous a dans son caractère. La véritable humilité requiert de porter sur nous-mêmes un regard honnête et d'arriver à une connaissance claire de nos propres capacités et faiblesses. Quand notre estimation personnelle est honnête, nous pouvons respecter ce que nous sommes ; cette acceptation profonde de notre nature mène à une compréhension et un respect plus grands envers les autres. Nous sommes motivés pour les aider dans leurs problèmes et les soutenir dans le développement de leurs capacités. Nous voyons que nous partageons des buts similaires de bonheur et d'accomplissement, que nous sommes tous sujets à des problèmes et des difficultés similaires.

Quand nous ne sommes pas honnêtes envers nous-mêmes, nous ne pouvons pas respecter notre nature inhérente ; aussi nous comptons sur notre image personnelle pour nous donner un sentiment de valeur. Nous nous préoccupons tellement de nous protéger que nous en arrivons à ne voir que nos objectifs égoïstes ; si d'autres sont blessés par nos actes, cela nous est plutôt égal. A mesure que nos perspectives se rétrécissent, nous oublions la dignité fondamentale de tout être humain. Nous perdons le respect des autres et commençons à nous croire supérieurs à tous.

Cet orgueil est en fait un signe de notre propre manque de confiance et de respect envers nous-mêmes. Comme nous ne pouvons pas accepter nos défauts, nous maintenons une fausse conception de nous ; notre orgueil mène ensuite au manque d'égards envers les autres et nous éloigne d'eux. Nous faisons concurrence à ceux qui nous entourent pour que les choses se passent à notre idée ; nous faisons remarquer les fautes et les erreurs des autres, tout en ignorant leurs qualités et leurs capacités. Mais ces comparaisons et ces jugements, au lieu de prouver notre valeur, ne font que révéler notre manque de connaissance de soi, élargissent la brèche entre nous et notre humanité intérieure. Tant que nous ne sommes pas personnellement exempts de fautes, nous ne sommes pas habilités à critiquer les autres, car nous commettons continuellement des erreurs, habituellement les mêmes que nous condamnons.

Tout le monde a des défauts, des obstacles à des résultats positifs. Quand nous sommes conscients de ces défauts en nous, garder une attitude supérieure envers les autres est malaisé. Plus nous devenons sincèrement disposés à admettre nos faiblesses, plus augmentent la connaissance et le respect que nous avons de nous-mêmes. Ce respect vainc toutes nos craintes d'incapacité, et nous ne ressentons plus le besoin d'afficher la supériorité. Nous pouvons même nous permettre d'échouer et accepter ainsi l'occasion fournie par l'échec de tirer la leçon de nos erreurs. A mesure qu'une meilleure connaissance de soi nous conduit à une plus grande connaissance de la nature humaine, nous nous sentons concernés par le bien-être des autres, et cette force d'intérêt crée la véritable humilité.

Développer l'humilité intérieure peut transformer nos tendances égoïstes en générosité ; il nous est possible alors de découvrir la beauté de donner et partager vraiment. En laissant progressivement un intérêt profond imprégner tous nos actes, nous réalisons qu'un cœur humble est le plus grand de tous. Le respect et l'intérêt attentif que nous témoignons aux autres éveillent réciproquement en eux récognition et attitude chaleureuse ; tous nos contacts sont élevés à un niveau riche de vitalité.

Vous pouvez développer votre conscience et votre faculté d'intérêt en portant un regard honnête sur vous et sur vos relations avec les autres. Un bon point de départ est d'examiner votre comportement envers quelqu'un que vous n'aimez pas. Observez soigneusement chacun des traits qui vous ennuient dans cette personne. Sont-ils des traits que vous n'aimez pas en vous-même ?

La prochaine fois que vous la verrez, concentrez-vous sur ses qualités et laissez un sentiment positif envers elle croître dans votre cœur. Par la suite, nourrissez toujours ce sentiment et ne laissez aucun jugement négatif vous déséquilibrer. Au bout de quelques semaines ou quelques mois, réexaminez la situation pour voir comment vos sentiments envers cette personne ont changé. En continuant ce processus avec tous ceux que vous n'aimez pas, vous découvrirez qu'il n'existe personne au monde dont vous ne pourriez vous soucier profondément.

Quand nous investissons notre soin dans les autres, nos sentiments positifs grandissent et s'étendent ; les autres répondent par leur affection, et la richesse de cette expérience partagée élève partout la qualité de la vie. Notre soin et notre joie augmentent, nous développons notre aptitude à approfondir et élargir notre intérêt sincère pour les autres. Quand nous basons notre vie sur l'intérêt attentif, nos relations ont un fondement sûr et sain, et nous avons la force d'aviser habilement à tout ce qui survient.

Cette sorte d'humilité est le plus grand trésor de la vie. Quand nous répondons aux autres par l'intérêt attentif et l'affection, il n'y a pas de séparation entre nous. Nous ne sommes plus pris dans des conflits, car nous voyons que nos différences expriment nos qualités individuelles uniques et inspirent une profonde appréciation de la nature humaine. A mesure que nous ressentons la grande communauté de tous les êtres humains, notre attitude envers la vie devient légère et ouverte. Nous découvrons ceci : participer avec les autres à un partage mutuel de connaissance et d'expérience engendre la sagesse qui nous permet de répondre à tous les besoins, et de vivre en harmonie avec tous les êtres. Cette découverte, cette expression de la véritable humilité, est l'une des compréhensions intérieures les plus précieuses à atteindre.

INDEX

A PROPOS DE L'AUTEUR

Tarthang Tulkou Rinpoché est un maître religieux du monastère de Tarthang au Tibet oriental. Dans sa jeunesse, il a reçu de certains des plus grands maîtres spirituels orientaux une éducation très complète en philosophie et pratique du bouddhisme tibétain. En 1959, il a quitté le Tibet pour l'Inde, où il a enseigné pendant sept ans à la Sanskrit University de Bénarès. C'est à cette époque qu'il a fondé *Dharmamudranalaya*, une revue consacrée à la sauvegarde de la littérature tibétaine.

A son arrivée aux États-Unis en 1968, Tarthang Tulkou s'est mis à la tâche audacieuse d'établir le Dharma* en Amérique. En 1969, il a fondé le Tibetan Nyingma Meditation Center (Centre Tibétain Nyingma de Méditation), et cette association religieuse a été le point de départ des autres Centres Nyingma. Là, nombreux sont ceux venus pour travailler, étudier et pratiquer sous la direction de Rinpoché, entrant dans un chemin de développement spirituel qui prend toute circonstance dans la vie comme source de croissance intérieure et de conscience.

Dharma Publishing et Dharma Press, fondés en 1971, ont publié plus de cinquante titres dans le domaine des études bouddhiques. Rinpoché est l'auteur de plusieurs de ces ouvrages, dont *Time, Space and Knowledge*, *Gesture of Balance*, *Openness Mind***, *Kum Nye Relaxation*, et *Skillful Means*. Il a également édité différents volumes, dont la série des *Crystal Mirror* (cinq volumes), et supervisé la traduction de certains textes bouddhiques figurant parmi les plus importants publiés jusqu'à présent.

Au Nyingma Institute de Berkeley, fondé en 1973, Rinpoché a joué un rôle essentiel dans la rencontre de l'Orient et de l'Occident. Des psychologues, des professionnels de différentes branches de la santé, des éducateurs et des per-

---

* Dharma : l'enseignement du Bouddha. (NdT)
** A paraître en français aux Éditions Dervy-Livres. (NdT)

sonnes de tous les horizons du monde sont venus pour étudier les enseignements de la tradition Nyingma* et les appliquer dans le contexte de leur propre vie et de leur profession. Au cours des six dernières années, Rinpoché a enseigné de nombreux cours, aussi bien de philosophie que de méditation, à plusieurs milliers d'élèves. En 1973, il a inauguré le Programme de Formation au Développement Humain, qui constitue une intégration dynamique des approches orientales menant à une vie saine et de la psychologie occidentale.

En 1975, Rinpoché a commencé à travailler à la réalisation d'Odiyan, le centre de retraite Nyingma situé en pleine campagne dans le nord de la Californie. Dans ce projet monumental, il a surveillé attentivement tous les aspects des plans, de la construction et du développement; maintenant que la fin des travaux approche, la beauté d'Odiyan reflète la profondeur et la clarté de la vision de Rinpoché. Odiyan sera un foyer permanent pour le Dharma en Amérique, un centre pour la protection de la culture et de la tradition tibétaines. Là, les Américains auront l'occasion de vivre dans l'environnement sain de cette communauté spirituelle, en réalisant dans leur vie quotidienne les vérités du Dharma.

La traduction de textes tibétains est prévue comme activité future importante, et toute personne sincèrement intéressée aura l'occasion d'étudier et pratiquer les enseignements de la tradition Nyingma. En plus de ces deux principaux centres, Rinpoché a également fondé plusieurs autres associations. Depuis 1971, la Tibetan Nyingma Relief Foundation (Fondation Nyingma d'Aide aux Tibétains), a fourni de l'aide aux réfugiés tibétains en Inde, au Népal et au Bhoutan. Les Instituts Nyingma de Phœnix dans l'Arizona et de Boulder dans le Colorado apportent les enseignements de la tradition Nyingma à un nombre croissant de personnes aux États-Unis.

Lama Anagarika Govinda, l'une des autorités reconnues sur le bouddhisme tibétain, a dit à propos des activités de Tarthang Tulkou : « Cela tient vraiment du miracle qu'arrivé

---

* L'une des quatre grandes traditions du bouddhisme au Tibet. (NdT)

sans un sou comme réfugié dans ce pays, vous ayez réussi à réaliser en sept ans ce que tous les bouddhistes d'Europe n'ont pu réaliser en soixante-dix ans, c'est-à-dire : créer une communauté bouddhiste autonome offrant la possibilité d'étudier et de pratiquer le Dharma sous tous ses aspects... »

Il est en effet remarquable qu'un homme venant d'un pays aussi lointain que le Tibet ait une compréhension intérieure si appropriée à offrir à la culture moderne occidentale. Les enseignements traditionnels du Dharma ne sont pas faciles d'accès pour l'Occident, car ils sont exprimés dans un langage et un contexte non familiers aux Occidentaux. En travaillant avec des Américains pendant ces quinze dernières années, Rinpoché a exploré de nombreuses manières d'exprimer les vérités de sa tradition sous une forme pratique correspondant à la culture occidentale. Dans les livres de Rinpoché, ces vérités profondes parlent directement au cœur et à l'esprit occidentaux. Les résultats de ses activités et de son expérience confirment la profonde valeur de *L'Art intérieur du travail* pour tous ceux qui le lisent.

TABLE DES MATIÈRES

Dépôt légal : octobre 2000 • Achevé d'imprimer sur les presses de Acti 3000 à Miré 49330